상생 村에서

행복하게 살아요

상생 村에서

행복하게 살아요

상생 村에서

행복하게 살아요

발   행 | 2023년 12월 15일
저   자 | 장지원
펴낸이 | 한건희
펴낸곳 | 주식회사 부크크
출판사등록 | 2014.07.15.(제2014-16호)
주   소 | 서울 금천구 가산디지털1로 119, SK트윈타워
          A동 305호
전   화 | 1670-8316
이메일 | info@bookk.co.kr

ISBN | 979-11-410-6027-5

www.bookk.co.kr

상생 村에서

행복하게 살아요

장지원 작가

프롤로그

목차

제 1부 보고 배우는 일상   11P

추억을 더듬으며   13p

    1. 홍어

    2. 보고 배우는 삶

    3. 농장

    4. 상생 이웃. 술

    5. 전통주 막걸리와 그 추억

    6. 그길

미래를 생각하며   30p

    1. 상생의 실천

    2. 걸으며 생각하며

    3. 보람된 삶을 위해

  4. 직장 업무에서 미래를 구상하라

  5. 상생을 위한 언행

고마운 이웃   43p

  1. 세상을 밝혀주는 안경

  2. 고마운 친구들

  3. 행복마을 야옹이

  4. 콩고

  5. 프엉화의 향수

제 2부 함께 생각해 봐요   55P

  1. 출산은 국력이다

  2. 격대 교육제도를 되살리자

  3. 우리 문화사랑

  4. 자랑스러운 마스크 견

  5. 세상에 나쁜 개는 없다. 잘못된 관리만 있다

제 3부 서로를 생각하는 삶   73P

1. 상생의 실천

2. 상생마을 한 바퀴

3. 이웃 돕기

4. 아름다운 거리

5. 오월의 새싹

6. 마을은 안방이다

제 4부 스스로를 다스리자   89P

1. 감사합니다

2. 비나이다

3. 인

4. 제비

5. 쇠제비갈매기의 교육

6. 자연에서 배우자

제 5부 바깥 세상을 보며   104P

1. 행복마을

2. 시련을 기회로

3. 한가위

4. 따스한 햇살

5. 프엉화

6. 녹음도 좋아   115P

7. 감이면 좋아

8. 눈보라

9. 친구는 누구인가

10. 고마운 9월

11. 봄   122P

12. 가르침

13. 바람은 예술가

14. 평화

15. 처음

제 6부 즐거운 나들이   128P

1. 아름다운 이 순간

2. 장미원

3. 고마운 친구 수국

4. 법성 토주

5. 설레던 그 길   141P

6. 첫날
7. 초하의 나들이

에필로그

프롤로그

고대 그리스 철학자 헤라클레이토스가 '판타 레이 (panta rhei)' 즉 '모든 것은 흐른다'고 이야기 했다. 새로 밝아 온 오늘은 어제와 다르고, 어제 발 담근 강물도 흘러가 버리고 새물이다. 같은 길을 가더라도 어제와는 보고 듣고 만나는 모든 상황이 다르다.

주변의 모든 것이 그렇듯이 일상도 그렇게 변하고 있다. 날마다 새로운 것을 보고 들으면서 느낀 것들을 글로 남기며 흡족한 마음이다. 그래서 일기를 쓰는가 하는 생각도 든다. 기억은 오래 가지 못하지만 글로 남겨 놓았다가 훗날 읽어 보면 아 그런일도 있었나 싶고 새롭게 느껴지며 혼자서 슬며시 미소를 지을 때도 있다. 그래서 글을 쓰나 보다.

모든 것을 혼자서 체험하기란 쉽지 않을 것이다. 책을 통해 다른 사람의 생각과 경험을 비교하며 배우는 기회가 되는 것이다.

은퇴 후 주변의 배움터에서 여러 가지를 배우며 지냈다. 그러던 중에 어느 도서관의 시간표에 책 읽고 글쓰기 시간이 있었다. 책을 읽고 그 글에 대해 감상

담 등 여러 이야기를 나누며 그에 대한 글도 남겼다.

그러다가 일상의 일들에 대해 글로 남기며 재미를 느꼈지만 책으로 낼 생각은 하지 않았었다. 그런데 코로나19 시대가 오면서 글을 써서 블로그에 남기다 보니 상당히 쌓였다.

비대면 세상에도 책읽기와 쓰기 등이 활발하게 진행되고 있었다. 호기심도 생겼고 주변의 권유로 참여하기 시작했다. 그래 언젠가는 나만의 책다운 책을 세상에 내 보리라 다짐도 해 본다. 오늘이 그를 착실히 준비해 가는 시간이 될 것으로 믿는다.

제 1부 보고 배우는 일상

살아오면서 경험한 것을 모은 글이니 또 하나의 경험으로 봐주세요

추억을 더듬으며   13p

1. 홍어
2. 보고 배우는 삶
3. 농장

4. 상생 이웃, 술

   5. 전통주 막걸리와 그 추억

   6. 그길

미래를 생각하며　　　　　　　　30p

  1. 상생의 실천

  2. 걸으며 생각하며

  3. 보람된 삶을 위해

  4. 직장 업무에서 미래를 구상하라

  5. 상생을 위한 언행

고마운 이웃　　　　　　　　43p

  1. 세상을 밝혀주는 안경

  2. 고마운 친구들

  3. 행복마을 야옹이

  4. 콩고

  5. 프엉화의 향수

추억을 더듬으며

1. 홍어

세월이 많이 흘러 어언 40여 년이 지난 홍어 철 그 무렵인 것 같다.

퇴근하면 몇 명이 어울려 근처의 음식점에 들러 홍탁을 했다. 업무 중에 있었던 이런저런 일, 어제 퇴근 후 한 일, 그리고, 시사적인 사항들에 대해 이야기를 나눈다. 물론 하루의 스트레스를 풀며 정보도 공유하고 귀가하는 것이기도 했었다.

어느 날은 홍어를 맛있게 먹고 집에 왔는데도 홍어가 먹고 싶다. " 어머니 임신부가 입덧하면서 뭔가 먹고 싶다 "라고 하듯이, 저도 홍어가 먹고 싶다고 말씀드렸다. 며칠 후 홍어 한 날개를 사 오셨다며, 아침, 저녁으로 홍어를 무침, 찜, 회, 전 그리고 보리와 홍어애를 넣은 홍어애국 등을 1주일 정도 반찬으로 해 주셨다. 더 먹고 싶고 맛있게 먹고 싶은데도 한계가 있는지..... " 어머니 이제 그만 먹겠습니다. 감사히 잘 먹었어요"라고 말씀드리고 홍어를 얼마간 먹지 않은 적이 있었다.

아무튼, 홍어는 지금까지도 내가 제일 좋아하는 바다 먹거리 중의 하나다. 이제는 집안에 행사가 있으면, 어머니를 대신해서 큰 형수가 홍어를 챙겨주신다. 또 과일 중에는 어린 시절 내 놀이터 중의 하나였던 감나무 덕인지 감, 곶감을 좋아한다. 사돈댁에서도 아시고 가끔씩 보내주셔서, 냉장고에 넣어두고 맛있게 먹는다.

또, 팥은 학창 시절 각기병 때문에 억지로 먹었는데, 이제는 단골 먹거리가 되었다. 가끔씩 제과점이나 빵 가게에서 사다가 먹는 단팥빵은 좋은 간식이다. 그런데, 한약을 먹으면서는 밀가루 음식을 먹지 말라고 해서, 그 좋은 것을 한동안 먹지 못한 때도 있었다.

보편적으로 가리지 않고 모든 먹거리를 거부감 없이 반기는 것이 장점이 아닌가 싶다.

홍어 하면 떠오르는 어머니를 생각하면서.

2. 보고 배우는 삶

종갓집이라 집안에 제, 시제, 혼사 등 행사가 많았다. 어렸을 때는 잘 몰랐으나, 그 당시의 국민학교에 다니면서부터는 많은 것들이 보이고, 관심의 대상이었다. 주말, 일요일, 공휴일에는 동네 친구들과 천방지축 산으로 들로 다니며 즐기며 자랐다.

집 앞의 철길, 동네 주변과 조금 떨어진 논과 밭, 저수지와 웅덩이, 시냇물, 무등산 가는 길 주변의 산과 계곡이 모두 놀이터였다. 가제, 우렁이, 미꾸라지, 여치, 메뚜기, 잠자리 잡기, 칡 캐기, 자치기, 딱지치기, 집 뺏기, 연날리기, 불 깡통 돌리기 등도 빼놓을 수 없는 즐거운 놀이였다.

집에 행사가 있을 때는 시내와 시골에서 집안의 어르신들, 주부, 사촌 형제자매들까지 모여 행사를 준비하느라 분주했다. 밖에서 친구들과 놀다가 들어오면 장성, 대지, 오치하내들이 하시는 문어발 오리기, 밤치기, 돼지 잡기 등 제물을 준비하시는 것에 관심이 많았다. 가끔씩 옆에 쪼그리고 앉아 구경도 했다.

어느 날은 할아버지가 ' 너도 해보고 싶냐 '라고 물으신다. ' 예, 한번 해보고 싶은데요. 재미있어 보여요 '라고 바로 답을 드렸다. ' 그러면, 이리 와 앉아봐라 ' 하시면서 칼 잡는 법, 대상물 잡는 법, 오리고 치는 법 등을 자세히 일러주신다. 할아버지들의 가르침대로 천천히 따라서 해 보니 할만하다. 보고 계시던 할아버지가 내가 해 봐라 하시며, 준비물 등을 밀어주신다. 이렇게 해서 시작한 밤 치기와 문어발 오리기는 내 일이 되었다. 할아버지들이 내게 인계하신 것이다.

그 후 종원 집을 돌아다니면서 시제물을 준비할 때는 그 집으로 출장을 갔다. 할아버지는 내가 5살, 아버지는 국민학교 5학년, 할머니는 고등학생 때 돌아가셔서 어머니를 중심으로 5남매가 각자의 위치에서 열심히 집안 밖의 일을 하며 어머니를 돕고 살았다.

할아버지, 할머니, 아버지는 너무 조용하신 분이셨기에 기억나는 것이 그리 많지는 않다. 가장 기억에 남는 것은 할머니의 닭 기르기에 협조한 것이다. 달걀을 할머니가 모으는 곳에 넣어두는 것과 풀 뜯어오기였다. 그런데, 우리는 달걀 구경을 할 수가 없었다. 팔아서 갖고 계시다가 형님이 출장 갈 때 조용히 불러 용돈으로 주신다. 이것을 보고 가끔 달걀이 많다 싶으면, 살짝 금 가게 해 놓으면 찜 등으로 밥상에 올라온다. 그 재미가 쏠쏠했다.

종가의 윗분들이 일찍 돌아가시니, 종조부님과 숙부님이 종가인 우리 집을 여러모로 돌봐주시니, 큰 문제 없이 어머니가 이끌어 가셨다. 이렇게 윗분들의 종가 지키기와 돕기를 배우면서, 4촌, 6촌 그리고 8촌 넘어까지도 오가며 우애가 있었다. 특히, 명절이나 행사 등에는 서로 앞장서 돕고 협조하면서, 이웃들이 부러워할 정도로 재미있게 살았다. 후손들이 모두 이분들을 본 받으며 살아왔다. 당시에는 식구들도 많았고, 대부분이 가깝게 살았기에 명절 등에는 도시와 시골을 구분하지 않고 일가친척 집을 찾아 인사를 드렸다.

그러나, 지금은 숫자도 줄어지고, 직장 등을 따라 경향 각지로 흩어져 살고 있기에 만나기가 정말 어렵다. 그래도 전화가 있고, 통화도 할 수 있어서 다행이다. 또, 선고님들을 모시는 벌초, 시제 때 직접 참석하지 못할 때는 협조금을 보내주는 종원들이 많아서 다행이다.

오래전부터 시제외에는 원불교에서 지내고, 명절 등에 참배 갈 때는 몇 가지 준비하고 국화 등을 가져간다. 아버지, 어머니 옆에 계신 숙모<숙부> 그리고 박실 사장께 간단한 진설 또는 꽃을 올리고 인사를 드린다. 제각 쪽이나 다른 곳에도 들리지만, 후손들을 잘 돌봐주시라고 망배를 하기도 한다.

산소에 들렀을 때 누군가가 다녀간 흔적이 있거나, 만나면 정말 뿌듯한 마음을 담아온다. 옛날과는 삶의 방식 등이 달라졌지만, 최선을 다해 서로 오고 가며 만나고, 많은 소통 속에서 우애 있고 즐거운 삶을 살 수 있기를 바란다.

아무리 세상이 요지경이라도, 우리 모두 하늘과 땅 길 열며, 대문도 여는 사람이 되자. 기도하고 선고 모시며 베푸는 사람이 되자. 보고 배우며 칭송하는 본받을 수 있는 상생 이웃이 되었으면 한다.

3. 농장

어려서는 공부, 동네, 산과 들에서 놀고 캐고 잡는 것, 그림 그리기, 밴드 활동, 운동, 글쓰기 등을 다양하게 해 보았다.

그러나, 자라면서는 현실에 쫓겨 공부가 우선이었고, 운동은 건강을 위해서 했다. 어떻게 보면, 공부가 우선인 것은 우리 사회의 당연한 흐름이기도 했다. 그렇지만, 맘속에서 꿈틀거리는 꿈은 농장이었다.

다양한 꽃과 과일들을, 철 따라 보고 즐기며 수확할 수 있게 가꾸어 놓고, 놀고, 먹고, 즐기고, 체험하고, 유료로 직접 채취해가는 것이었다. 이런 것이 조금 더 진화한 것이 오늘날의 현장체험을 하는 체험농장이 아닐까 한다.

내가 어릴 적에는 작은 아버지는 생산, 아버지는 판매를 하시는 협업을 하셨다. 그런데, 내가 국민학교 5학년 때 아버지가 작고하시고, 두 집이 광천동 공단의 조성 초기에, 그곳으로 공장과 함께 옮겨갔다. 그때 우리 집 앞마당의 화단을, 내가 멋지게 구상해 만들어 놓았다.

시내에서 집엘 가려면, 광송간 버스를 타고 현 농성역에서 내려 걷는다. 현 터미널을 향해 가다 사거리에서 좌측으로 올라가서 현 기아자동차와의 중간 정도 가서 우측에 있었다. 밤길은 캄캄했고, 주변에 건물이 없어, 비바람칠 때와 눈보라가 휘날릴 때는, 정말 힘들었다.

그래도, 처음에는 사업이 잘 되고 좋았다. 3년여가 지나면서, 차차 힘들어지다가, 거의 살림만 챙겨 나온 것이다. 서구청을 지나 돌고개를 지나기 전에 좌측으로 조금 들어가서 다시 좌측으로 들어간 집이다. 차례 등이 많아 큰 기와 집에 전세로 들어갔다. 작은 집은 우측으로 들어가다가 좌측에 집을 얻으셨다.

이렇게 집이 흔들렸지만, 가게는 그대로 운영했다. 또, 형님의 교직 생활과 형수님도 복직해 근무 중이라서, 큰 문제는 없었다. 그러나, 이런 와중에 내 꿈은 서서히 묻혀갔다. 졸업하면 취직하는 것으로 바뀌어 갔다. 오히려 그게 잘 된 것인지도 모르겠지만, 꿈을 까맣게 잊고 살았다.

야구단의 인기 속에 너무 현실에 만족하고만 살았지 않나 생각해 본다.

4. 상생 이웃, 술

다양한 용도로 우리 생활에 술은 필요한 것 같다. 좋은 일이나 궂은일이나 물과 간식거리 등 어떤 용도에든지 사용되고 있다.

어렸을 때 동네 친구들과 놀다가 물이 마시고 싶어 집에 들어가니, 어머니가 부르시더니 맛보라고 떠 주신다. 제삿날이라 담근 술을 뜨시는 것이었다. 맛있다고 했더니 좋아하신다. 이때 처음 술을 마셔보았다.

그 후로는 하키 시합에 출전해 경기가 끝나고, 중. 고교가 같은 숙소에 있으니 함께 회식을 하는데, 인솔 체육 선생님께서 술 한 잔과 담배 한 개비씩을 주시면서, 여기서는 피우고 마셔도 된다. 단, 이 자리를 떠나서는 어디서든지 절대 안 된다고 하셨다.

그리고, 명절 때 고모부댁에 세배를 가면 한상을 차려주시는데, 술을 주시면 나는 학생이니까 안 마신다고 말씀드리니, 술은 어른 앞에서 배워야 한다고 마시라고 주셨다. 그러면 무릎 꿇고 두 손으로 받아 고개를 돌려서 마시고 고숙께 한잔 올린다. 그렇게 배운

술이라서 그런지, 몸이 술을 잘 받는지는 모르겠으나, 지금까지 술로 남들 앞에서 큰 실수를 하지는 않은 것 같다.

사회생활을 하면서는 업무든 친교든 관계없이, 술을 좋아하고 잘 마시는 사람들이 좋았다. 특히, 업무로 만나는 경우에 술을 좋아하는 사람들과 만나면 제일 좋았다. 선수들이 부대에 있을 때도 들어가 사연을 이야기하고, 밖에서 만나 술 몇 차례하고 나면, 다음엔 무슨 일이 있으면 전화로 말씀하셔도 된다고 한다. 만약 술을 좋아하지 않는 사람이라면 어땠을까?

그래서, 관공서나 언론사 또 입영한 선수에 대한 업무까지도 보고 다녔다. 업무와 관련해 술을 마실 때는 동이 트는 새벽까지 마시고, 들어와 샤워하고 잠깐 눈을 붙인 후 출근했다. 그래도 지장 없이 하루 일과를 진행했었다. 지금 와 생각하니, 당시에는 어떻게 그렇게 활동을 했는지 모르겠다.

그렇다고 조그만 실수도 없었던 것은 아니다. 첫 회사에 있을 때 일이다. 친구가 신혼여행을 다녀와 신고하는 날인데, 회사 일로 좀 늦게 갔더니 후래삼배<後

來三杯>란다. 그래? 조그만 잔 말고 차라리 육개장 그릇으로 주라고 했다. 반이 조금 안되게 준다. 그것도 독하기로 이름난 법성 토종주었다.

어떻게든 집에까지는 왔는데, 하루 이상을 자면서 주변의 움직임을 전혀 올랐던 것이다. 형님과 어머니께서 깨워도 반응을 제대로 못하고 자더란다. 그래서 더 푹 자도록 두었다고 하셨다. 계열사 상무님과 같은 단지에 살아서 동승해 출근하는데, 어제 무슨 일이 있었냐고 물으신다. 뭐지 하다가 순간적으로 예 좀 아파서 그랬다고 얼버무려 넘겼다.

세월이 많이 흘러 이제 석양녘이지만, 아직도 친구들과 만나면 술자리에서 빠질 수가 없다. 술이 없으면 재미가 없고, 대부분 술들을 좋아하고 잘 마신다. 술은 권하는 맛으로 마신다고, 그렇게 권하니 손사래만 칠 수도 없어서다.

아직도 술은 즐거움을 주는 편안한 내 친구다.

5. 전통주 막걸리와 그 추억

나는 술을 참 좋아한다. 그러나 막걸리도 맥주도 아니고 소주가 진정한 내 친구인데, 막걸리에 대한 추억을 몇 가지 올리고자 한다.

사례 1

어린 시절에 뛰어놀기를 좋아했다. 동네에서 친구들이랑 놀다가 목이 마르면 집에 들어가서 물을 마시고 해갈시키고 또 나와 뛰어놀다 물을 마시러 들어가곤 했다.

어느 날은 어머니가 오라고 손짓을 하시면서 부르신다. 뭔가 하고 가봤더니, 띄우던 막걸리를 한 사발 떠 주시면서 어떠냐고 맛을 보라고 하신다. 우리는 종손집이어서 언제나 명절이나 시제 때에 돼지 잡고 술을 띄웠다.

그때 마신 술맛이 좋아 그다음부터는 놀다가 목마르면 집에 들어가 무조건 술 띄우는 독에서 한 사발씩 떠서 마시곤 했다. 이것이 습관이 되어 너무 마셨나 자전거를 가지고 나가 타다가 도로가 개울에 박히기도 했다.

또 남광주 역 옆의 일본식 주택<지금의 남광주 시

장 자리>에 심부름을 가는데 술을 마신 상태에서 자전거를 타고 가다가 두 손을 놓고 타기도 했었다.

사례 2

그 후는 술을 마시지 않았는데, 대학시절에 친구 하숙집에 친구들이 놀러 가 점심 먹으면서 막걸리를 한 잔씩 나누면서 장기와 바둑들을 두며 놀았던 적도 있다.

사례 3

학교를 졸업하고 회사 생활을 하던 사회 초년생일 때도 퇴근길에 회사 근처의 술집에서 동료들과 홍탁을 즐기기도 했다.

그 시절에 집에 와서 어머니에게 여자들이 입덧할 때 뭐가 먹고 싶다고 말한다듯이 나도 홍어가 먹고 싶다고 말씀드렸더니, 당시에 홍어 한 날개를 사다가 회, 무침, 찜, 구이 등으로 매끼 해서 주시는데, 한 1주일 줄곧 먹고 났더니 먹기가 싫어졌던 경험도 있다.

암튼 지금도 홍어삼합을 좋아한다.

사례 4

그리고 그 후로는 막걸리가 장과 어울리지 않아 마시지 않았다. 한 10여 년 전에 막걸리의 효소가 건강에 좋다는 말이 있어 주로 만나는 친구 3가족이 평소에는 소주, 맥주, 막걸리 순으로 소주를 많이 마셨는데, 하루는 막걸리만 마시고 왔다.

머리가 그다음 날 오전까지 아파서 많이 힘든 적이 있었다. 그때 검색해 보니 효소의 효능을 보려면 매일 10병씩을 마셔야 한다고 되어 있어 그 뒤로는 거의 손대지 않는다.

사례 5

얼마 전에 시제를 모시기 위해 제물을 준비할 때 막걸리는 어떤 게 좋으냐고 마트 직원에게 물으니, " 동구에서는 무등산 막걸리, 광산구에서는 비아 막걸리 "라고 했으나 무등산 막걸리를 사서 제주로 사용했다.

궁금해서 비아 막걸리를 맛보기 위해 광산구 여기저기에서 점심과 함께 하려고 물어봐도 식당에 비아 막걸리가 거의 없었다. 약속이 있어 수완 지구에서 저녁 후에 옆에 술집이 보여 가니까 비아 막걸리가 있어 주인에게 비아 막걸리 파는 곳이 많지 않다고 했다. 주인인 듣고나서 과거에 무슨 문제가 있어 그런 것 같다고 했다.

위와 같이 하나의 상품이 민감한 고객들의 사랑을 지속적으로 받으며 고객 옆에 오랫동안 머물 수 있으려면 신뢰를 쌓아야 할 것이다. 지속적인 품질 향상과 적극적인 마케팅, 홍보가 필요할 것으로 본다.

술은 역시 좋은 친구인데, 너무 많이 자주 마셔도 안되고, 때와 장소를 가릴 줄 알아야 한다. 그리고 마신 후의 언행이 중요함을 말씀드리며, 술의 한 축인 전통주 막걸리/탁주에 대한 추억을 마친다.

6. 그 길

어디서 왔다가 어디로 가는지 누구나 알 수 있고, 모두 지나가야만 하는 길이 있다.

알면서도 가고 모르고도 간다. 가고 싶어서 가기도 하고 싫어도 가야만 할 때가 있다. 즐겁게도 가고 짜증을 내면서, 싫어도 어쩔 수 없이 가야만 하는 길. 평탄하게, 울퉁불퉁, 꾸불꾸불, 한없는 오르막과 내리막길. 그것이 우리가 가는 삶의 인생 길인가 보다.

모든 사람들의 삶은 처음부터 오고 가는 길이 정해져 있는 것 같다. 마치 운송 수단들의 출발과 도착점이 정해진 것처럼. 이 정해진 길을 어떻게 해서 좀 더 유익하고 즐겁게 지나갈 수 있는가가 그 길을 가는 사람들의 능력이 아닐까 생각된다.

잉태하면서는 어머니의 보살 핌 속에서 자란다. 태어나는 순간부터 독립생활을 위해 부모형제의 보살핌 속에 사회에 적응할 여러 가지를 배운다. 또 학교를 비롯한 여러 배움터에서도 다양한 것들을 가르쳐준다. 성인이 되면 홀로 설 많은 것들을 가족과 이웃을 보고 배우면서 상생을 위한 삶을 살아간다.

쉽고 잘 되는 일도 만나고, 까다롭고 힘든 일에도 부딪친다. 좋은 사람들도 만나 즐겁게도 보내고, 잘못 만나 고통스럽고 짜증스러운 나날을 보낼 수도 한다. 이렇게 다양한 길을 걸으며 왕성한 활동을 하다가 기력이 떨어지면 은퇴하고 쉬면서 종착역을 향해 간다. 인생역정의 종착역에서는 다음 출발을 위해 대기소에서 피로를 풀면서 조용히 기다릴 것이다.

열심히 달려왔던 길을 돌아보니 그렇다. 방향을 바꿔 가고 싶은 길이 있었는데, 어느 순간 찾아온 기회에 또 전과 같은 길을 가게 되었다. 가고 싶었던 길을 위해 공부도 하고 갈려고 했고, 오라고 하는데도 가지 않고 오던 길을 그대로 왔다. 그것이 내가 갈 수밖에 없었던 길이 아니었나 생각도 해 본다. 그것이 내 운명적인 ' 삶의 길 '인가 보다.

그래 다른 길로 갔다면 어떻게 되었을까? 어찌 되었든 지금까지 큰 문제가 없이 무난히 걸어온 ' 그 길 '

그 나의 인생길에 대해 고맙게 생각한다.

미래를 생각하며

1. 상생의 실천

  단지를 거닐다 보면, 주민들과 만날 때가 많다. 그런데, 유득히 자주 보고 만나는 이웃이 있어 멈춰서 가끔씩 이야기를 나누고 간다. 이분은 단지 내 아파트 화단을 열심히 가꾼다. 전에는 아주머니가 가꿨는데... 한참 후에 알고 보니 부부다. 사모님이 어린 손주를 보살피게 되어 인수인계한 것이다.

  지나면서 지켜보니 열심히 그리고 꾸준히 한다. 이것저것 철 따라 여러 가지를 심어 관리한다. 비용은 어떻게 하냐고 물었더니 자부담으로 한단다. 같이 옆 단지로 가서 꽃과 나무를 심어 관리하는 것을 보니 정말 잘 하고 있었다. 부러웠다.

  그 후 관리소장에게 이런 경우 좀 지원해 줘야 하지 않겠냐고 했더니, 쓸데없이 물만 사용한다고 주민들이 오히려 마뜩잖게 생각한단다. 그것도 일리는 있지만, 단지를 아름답게 꾸민다는데 이럴 수가 있을까?

비록 특정동의 관리지만 이것이 전체로 확산될 수도 있을 것이다.

또, 다른 관계자에게 옆 단지의 수국 등을 이야기했더니, 입구에 조금밖에 없다고 우습게 평가를 한다. 참 사람들이 이렇게 시야도 좁고 생각이 짧을까 싶어 혼자 고심했다. 대표, 관리소장, 화단 관리하는 분들을 볼 때마다 이야기를 나눴다.

어느 날 관리사무소 직원들이 뭔가를 들고 움직인다. 유심히 봤더니, 화단 울타리, 수국 삽목용 화분 등을 사다 준다. 아~ 이제 통했구나 나름 흐뭇했다. 그 후에도 단지를 아름답게 만드는데 여러 가지 제안으로 꾸준히 동참하고 있다. 단지를 오가며 보고, 듣고, 이야기하며. 스치는 생각들을 정리해서 보내준다. 한 번에 다 하려면 바쁘고 자금 부담이 되니까 천천히 시행하자고 단서까지 붙여 보낸다.

단지를 다니다 보면 흐뭇할 때가 많다. 제안했던 일들이 하나하나 진행되는 결과가 보이기 때문이다. 울타리 쪽의 전깃줄을 건드는 은행나무의 전정, 단지 내 벽보 게시판 수정. 보완, 주차장 관리 설치물 등… 모든 것들이 아파트를 아름답게 만들고, 주민들이 사용하고 주민들을 위한 시설물들이 아닌가.

그분이 아파트를 위한 동 대표가 된 것이다. 아파트를 위한 일을 하면서 좋은 분들이 동대표가 될 수 있도록 주민들께 출마와 추천도 요청한다. 한편으로는 좋은 분들이 동 대표가 되기를 기원하기도 했다.

이제 조금 지나면 수국들이 자라서 삽목과 이식을 통해 단지가 아름다운 꽃밭이 될 것이다. 그때가 기다려진다. 모두가 동참해 상생의 살기좋은 동네를 만들어 가면 좋겠다. ' 상생마을 ' 그리고 '상생 사회'를 만드는데, 함께 힘을 모을 수 있으면 한다.

2. 걸으며 생각하며

산행을 자주 할 때에는 운동에 대한 걱정이 없었는데, 다리를 다치고 나서는 산행을 거의 하지 않고 있어 운동이 많이 부족하고 특히, 운동의 기본인 걷기조차도 부족한 실정이다.

그래서 특별한 일이 없으면, 8시 반 전후와 저녁 식사 후에 걷기를 해서 보통 하루에 6천보 이상을 인근 학교 운동장과 단지 내를 걸었는데, 요즈음은 주로 단지 내와 풍영정천을 걷고, 가끔씩 친구들과 가벼운 코스로 산행을 한다.

처음에는 아무 생각 없이 단지 내를 열심히 걷기만 했는데, 시간이 조금 지나면서부터는 이것저것 주변이 보이기 시작하면서, 철 따라 피는 꽃과 나무에 주렁주렁 달리는 열매 등도 보이는 게 참 좋다. 또, 자신, 가족 그리고 주민, 단지와 지역사회 등에 대해서도 여러 가지를 생각하면서 걷고 있다.

그 생각들 중에는 '우리 아파트를 어떻게 하면 행복마을로 만들 수 있을까'도 있다.

그들을 적어보면,

- 우리 마을을 어떻게 하면 '아름다운 행복마을'로 만들 수 있을까.
- 마을의 남녀노소가 어떻게 하면 서로 마을과 이웃을 생각하며 살 수 있을까.
- 어르신들이 어떻게 하면 건강하고 즐겁게 지내실 수 있을까.
- 아이들은 어떻게 하면 튼튼하고 씩씩하면서 바르게 자랄 수 있을까.
- 마을 주민들이 어떻게 하면 서로 소통하며 상생의 행복마을을 만들 수 있을까.
- 마을 주민들이 어떻게 하면 활동을 하면서 즐겁게 살 수 있을까.
- 마을 주민들이 어떻게 하면 서로 이웃을 생각하며 살 수 있을까.
- 마을 주민들이 어떻게 하면 단합해서 '행복마을의 꿈'을 실현할 수 있을까.

위와 같은 생각을 하면서 걷고 있는데, 어떤 분은 홀로된 동네 고양이 새끼를 돌봐 주시는가 하면, 또 어떤 분은 정원의 일부를 정성스럽게 가꾸고 계시는 것을 보며, 흐뭇함을 느끼면서 인사를 나누곤 한다.

그리고, 내가 생각하는 마을의 과제들을 하나하나 이야기하기도 한다. 이웃 마을 주민들이 우리 마을로 이사 오고 싶어 하는 '행복마을'로 만들어 갈 수 있도록 모든 주민들이 지혜를 모아 실천하면 좋겠다.

3. 보람된 삶을 위해

· 인생의 목표를 갖고 정진하자
· 가치 있는 삶을 위해 자기 개발을 하자
· 정견, 정언, 정행을 신조로 함께 살자
· 풍요로움을 위해 심신을 단련하자
· 사회활동과 신앙생활을 하자
· 주위에 베풀고 재능 기부할 다양한 소재를 갖추자
· 즐겁게 살며 오늘도 감사하자

'나의 현재는 과거며 미래다' 라는 말을 되새기자.

4. 직장 업무에서 미래를 구상하라

우리는 삶에 있어 목표를 세우고, 이를 달성하기 위해서 살아가는데, 우선은 직장 생활을 한다. 직장을 선택할 때도 자기 가치관이나 목표를 실현하기 위한 방향으로 선정하는 것이 좋을 것이다. 직장 생활을 할 때는 그 직장을 그만두었을 경우에 회사에 근무할 때의 업무와 같은 일을 할 수 있는 경우가 보다 바람직한 직장이 아닌가 싶다.

특히 근래에는 정년퇴직까지 가기가 쉽지 않은 사회적 분위기이기에 회사 생활을 하면서도 퇴직 후를 대비해야 한다. 안정된 직장 생활을 하면서 다양한 공부와 준비를 꼭 자기 관리와 개발 차원에서 시간이 많은 사회 초년생 때부터 차근차근 그리고 꾸준히 대처해야 할 것이다.

그래서, 현장 근무, 사무실 근무 또는 영업직이든 관계없이 근무 경력을 살려서 퇴직 후에도 근무 시의 일을 할 수 있으면 좋을 것이다. 여기서 한 가지 염두에 둘 것은 현장직이면 기술에 관한 자격을, 관리직이면 사무직에 관련한 자격을, 그리고 영업직이면 또 영업에 관련한 자격증을 회사 생활 시에 시간을 내서 공부해 습득해 두는 것이 좋을 것이다.

물론, 회사 근무 시 최선을 다해 열심히 해서 경영진에까지 올라가는 것이 가장 바람직하다. 여의치 않은 경우는 퇴직해서 직장의 근무 경험과 자격증으로 자영업을 하거나, 뜻이 맞는 직장 동료들과 함께 사업을 할 수도 있을 것이다. 그러나 욕심을 부리지 말고, 항상 정직하고 성실하게 최선을 다하는 생활을 해야 한다.

어떤 이웃은 직장 생활 시 영업 사원으로 근무하다 퇴직을 했다. 이직 후 함께 영업 활동을 했던 동료들 <전국 각 지역> 과 합동으로 유통회사<여러 가지 유망 상품 등>를 차려 운영하고 있다고 들었다. 전국망으로 납품을 하면서, 세월이 지나 이제는 자리를 잡아 1~2년이면 억단위 내외의 배당이 나오고 있다고 들었다.

이와 같은 예를 볼 때, 회사 근무 시 업무를 효율적이고 창의적으로 처리하면서, 자기 관리와 개발에 최선을 다해야 한다. 그리고 동일 업무에 종사하는 각 지역의 동기, 상하 직원들과 소통을 통해 좋은 동료와

선. 후배들을 사귀어 두는 것이 후일에 좋은 자산 중의 한 가지가 될 것이다. 주변에 좋은 이웃을 두는 건 사회생활의 기본이기도 하다.

그러면, 현재
- 뚜렷한 삶의 목표가 있는가
- 직장에서 업무를 효율적, 창의적으로 처리하고 있는가
- 다른 업무분야도 소통이 잘 되는 동기, 선. 후배는 있는가
- 시간을 효율적으로 활용하면서 업무 등과 관련한 자격들을 취득하고 있는가
- 여유 시간을 활용해 자기관리<심신 관리>와 개발을 하고 있는가
- 헌신과 봉사로 타의 모범이 되는 생활을 하고 있는가
- 피치 못할 이직에 대비하고 있는가 등

항상 자기를 돌아보고 바로잡는 생활과 주위에 좋은 지인들을 많이 둬야 한다. 또 진정한 이웃을 사귈 수 있도록 하고, 특히 진정한 종교 활동 등을 하는 것도 생각하여야 할 것이다.

5. 상생을 위한 언행

우리의 교육을 심성과 체험의 비중을 현행 보다 높이면 한다. 특히 고등학교 2학년까지는 그렇다. 일상에서 지식과 학식으로만 살 수 있는 것은 아니지 않은가. 사회생활에서는 이웃과의 관계가 매우 중요하다. 예의범절, 즉 윤리와 도덕이 바로 서 있어야 할 것이다.

언행은 그 사람의 인격! 을, 보. 배움! 을, 품격! 을 나타낸다고 한다. 옛날에 어르신들이 언짢은 언행에는 손가락으로 가리키시며 ' 저런 보. 배운데 없는 사람 같은 이 '라고 말씀하셨다. 생활 속에서 보고 배운다는 것은 부모형제와 이웃, 사회생활을 함께 하는 직장 동료, 자주 만나는 친구, 선. 후배들에게서 보고 배울 것이다. 이 경우에도 취사선택이 중요하다. 새로이 합석하거나 먼저 이석할 때도 항상 생각하는 언행이 필요하다. 그리고 말을 줄이는 것이 실수를 줄인다고 하니 참고하자.

' 3인 행 필유 아사 (三人行必有我師) '는 사물마다 가르침을 준다는 말로 공자님도 언급하셨다고 한다.

동행인 3인에는 반드시 가르침을 주는 사람이 있다는 이야기다. **모두가 스승이 될 수 있다는 말이니 잘 보고 배워야 한다는 것이다.** 말로 이웃을 아프게 하고 행동으로 지인에게 실망을 주고받는 상황을 만들어서는 안 될 것이다. 가까운 사이일수록 상대에게 언짢지 않게 신경을 써서 언행을 해야 할 것이다.

무심코 한 말이 상대에게 큰 상처를 줄 수도 있기 때문이다. 품격을 갖춘 사람이라면 순간의 언행이 상대방에게 혹시 어떤 피해라도 주지 않을까 신중하게 생각해야 할 것이다. 손아래가 윗분에게 누군가를 통해 전달하는 인사는 예의가 아닐 것이다. 주변 사람들 특히, 자기 아이들도 보고 배운다는 것을 알고 살펴 조심스럽게 언행을 해야 한다.

공공장소인 식당 등에서 방석과 신발을 꼿꼿이 서서 던지는 행위. 주변 사람들이 눈살을 찌푸리게 하는 큰소리. 우스개로 하는 말, 글로 표현하는 경우라도 때와 장소, 상대의 기분, 분위기 등도 보고 언행을 해야 한다. 그리고 상대방을 두드리거나 만지며 말을 해도 될까? 여성이 아니더라도 마찬가지다. 말을 자르고 끼어들지 말자.

약속 시간에 아직 도착하지 않은 누군가를 기다려 주는 배려심도 필요할 것이다. 물론 늦는 사람도 미리 연락을 해 놓는 것이 예의다. 식탁에서 코를 닦고 휴지를 상에 놓는 행위는 어떤가. 대화는 상대와 눈을 마주 보고해야 한다. 금방 차가 떠나는 경우가 아니면..... 언제 어디서나 윤리와 도덕 속에서 언행을 해야 할 것이다.

' 말로 천 냥 빚을 갚는다 '라는 말도 있지 않은가. 모든 말과 행동도 그렇지만, 어떤 상황, 표정, 강도 등으로 사용되느냐에 따라 전달되는 의미가 달라질 수도 있음을 알아야 한다. 항상 언행에 신경을 쓰는 ' 상생 이웃 ' 이 되자. 그래야 이웃과 함께 즐겁고 행복하게 오랫동안 함께 할 수 있을 것이다.

이웃에게 베푸는 것은 유· 무재가 있지 않은가. 항상 만나면 베풀고, 나누며, 미소 띤 얼굴로 대화를 나누며 즐겁게 사는 ' 상생마을 '을 만들어 가자.

고마운 이웃

1. 세상을 밝혀주는 안경

세월이 많이 흐르긴 흘렀나 보다.

은퇴하고 눈이 나빠서라기 보다 새로운 생활을 위해 옅은 하늘색의 안경알을 넣어 쓴지가 엊그제 같은데, 벌써 돋보기를 쓰고 있다.

내 나이테가 늘어나서 일까? 아니면 글쓰기를 좋아해 컴퓨터를 많이 해서 일까? 글을 많이 써서 카페에 수북히 두고 각부처와 지방자치단체 등에 올리면서 컴퓨터를 많이 사용한 때문일 수도 있겠다.

한 5년 전부터 접이식 돋보기를 준비해 활용해 왔는데, 점점 흐려져 도수를 높여 사용하고 있다. 외출시에는 일반 안경, 글을 읽거나 쓸 때에 돋보기를 써야 한다. 물론 타자를 칠 때도 돋보기를 써야 제대로 보이고 편한 애용품이 되었다.

눈이 좋지 않은 사람들에게 안경과 돋보기는 그 무

엇보다도 좋은 인생의 동반자일 것이다. 어눌하고 밝지 않은 세상을 환하게 밝혀주기 때문이다. 좋은 것만을 볼 수 있는 안경이 개발된다면 어떨까?

이제 안경을 쓴 모습에 익숙해져 안경을 쓰지 않으면 어쩐지 이상하다. 집에서는 쓰지 않는데...나이테인 나일리지 때문에 어쩔 수 없이 사용하는 안경과 돋보기다. 이제 혼자 가기는 힘든 동반자가 되어가고 있다.

안경과 돋보기는 나일리지와 함께 하면서 불편함이 없이 지낼 수 있게 해주는 생의 고마운 동반자다.

2. 고마운 친구들

햇볕이 쨍쨍 내리쬐는 어느 여름날이다. 오늘은 방학이고 운동도 쉬는 날이어서 학교엘 가지 않고 집에서 모처럼 편히 쉬는 날이다. 오랜만에 동네 친구들과 만나 잣고개 넘어 물이 맑고 시원한 계곡으로 여치, 피라미, 가재와 다슬기를 잡으러 갔다.

아침 먹고 일찍부터 서둘러서인지 여치, 가재, 다슬기, 피라미들이 아직 나들이를 나오지 않았나 보이질 않는다.

시원한 물에 등멱<등목의 옛말>을 돌아가면서 하고 나니 날아갈 듯이 시원하다. 돌멩이를 떠들어 보며 찾아다니면서 가재, 다슬기를 잡았다. 수초 아래 채를 대고 발로 밟아 피라미 몇 마리를 잡는 것으로 서운면을 했다.

그리고, 산으로 올라가 여치를 여치집 가득히 잡고서 오늘 목표를 마무리하고 집으로 돌아온다. 한참을 오면 잣고개를 내려오는 길 양쪽에 복숭아 밭이 있는데, 가끔씩 주인이 그늘막에서 부른다.

오늘도 부를까? 하면서 오는데, 역시나 ' 애들아~ 뭐 잡아가냐? ' 하고 물으신다. 우리에게는 반가운 소리다. ' 예~ 왜요~ ' 그렇지 않아도 좁은 여치집에 너무 욕심껏 많이 잡아넣어 속에서 물고 뜯고 난리다.

' 몇 마리 주고 가거라 ' ' 예~ ' 얼른 성한 놈들로 골라서 많이 드렸다. 주인이 주는 복숭아를 몇 개씩 받아 물에 씻어 궁금하던 차에 맛있게 먹으면서 즐겁게 귀가했다.

집에 돌아와 피곤해서 마루에 누워 머리를 끝에 걸치니 시원하게 바람도 불고, 뭉게구름이 하늘을 유영하는 영상이 돌아간다. 배가 고픈데, 공중에 달려있는 밥 바구니가 보인다.

당시에는 음식을 시원하게 보관하기 위해서 우물에 줄을 달아 띄우거나 달아 놓거나, 공기가 잘 통하는 대나무 바구니에 담아 바람 통인 마루의 서가래에 걸어 놓는다. 보리는 많이, 쌀은 조금, 콩, 어느 날은 고구마도 넣는 맛있는 밥이다. 아직 시간은 멀었지만 침이 꿀꺽 넘어간다.

벌떡 일어나 앞뒤의 텃밭도 둘러보고, 할머니가 기

르시는 3층짜리 닭장도 살펴보며 알은 낳았는지, 깨진 것은 없는지 찾아보았다. 업으면 가끔씩 달걀을 살짝 깨뜨려 모아둔 것을 가져다 프라이도 해 먹는다.

점심을 먹을 때는 마당의 텃밭에서 푸성귀와 고추를 따고, 보리밥을 쌈을 싸서, 고추는 된장을 찍어 김치 등과 먹기도 한다. 거기다 우물에서 시원한 물을 길어다 말아 먹는 보리밥은 꿀맛이었다.

지금은 그때의 맛이 나지 않겠지만, 베란다에서 기르는 상추, 봄동, 치커리 등을 따서 쌈과 겉절이를 만들어 먹는 맛도 쏠쏠하다. 그런데, 이제 베란다 농장의 작물들이 꽃대가 올라오는 것을 보니 정리해 줄 때가 된 것 같다.

아파트 베란다는 햇볕이 잘 들지 않아 다른 작물들을 고르든지 아니면 가을까지 휴경을 해야 할 때가 된 것이다. 모든 생명체는 세월이 가면 조용히 떠날 준비를 하나? 지금까지 내게 많은 것을 주고 대화를 나눴던 힐링의 친구들이다.

더 오래 함께 하면 좋겠는데, 이제 어쩔 수 없이 보내야 하는 친구들이다.

3. 행복마을 야옹이

　어느 날 애들이 쓰레기 분리수거장에 모여 뭔가를 보
며 왁자지껄 즐거워하고 있었다. 가 보니 귀여운 노란
새끼 고양이 한 마리가 어미도 형제도 없이 혼자서 놀
고 있었다. 그런데 그 후로도 계속 혼자 있어서 젖을 먹
거나 먹을 것이 있어야 할 것인데... 나도 걱정이었다.

왜일까. 새끼가 어떻게 혼자서 살 수 있을까?

그렇게 날짜가 지나가면서 그곳에는 애들이 모여 고양이를 구경하며 부르고 노는 놀이터가 되었다. 또 부르면 고양이가 어딘가에서 나와 같이 놀자고 하는 듯이 뒹굴며 재롱을 부린다.

이곳은 지나가는 사람들의 구경거리가 되었고 나도 가끔씩 배출물을 버리러 나가면 '야옹아'하고 불러 나오면, 같이 이야기하다 들어오곤 했다.

그러던 어느 날 어떤 아줌마가 뭔가를 들고 다니며 고양이를 찾고 있다. "뭐 찾으세요?" 하고 물으니 고양이를 찾는다고 하신다. 손에 먹이를 들고 다니며 매일 먹이를 주고 있는 고양이에게는 무척 고마운 분 이셨겠다.

그런데, 한동안 고양이가 보이지 않다가 아줌마랑 놀고 있어 물어보니 고양이가 아파서 병원엘 데리고 갔다가 집에서 데리고 있다고 하셨다. '아이고 잘 하 셨습니다'하며 헤어졌고, 그 후 아줌마와 노는 고양 이를 보고 또 동네 어르신이 데리고 운동시키는 개와 함께 있는 것도 볼 수 있었다. 또 밤에 나와 혼자 노는 것도 보고 낮에는 나무 타고 노는 것 등을 보면서 지냈다.

이렇게 며칠이 지난 후 그 아줌마가 고양이를 찾는 듯, 분리수거 쪽을 두리번거리며 찾고 있었다. 고양이가 나무 위를 오르면서 노는 것을 본 날 오후에는 다른 아줌마와 함께 고양이를 찾고 있는 모습도 보였다. 무얼 찾느냐고 물으니, 고양이를 찾는단다.

그 야옹이는 어디로 갔을까?

지금까지 병원도 데리고 다니고 먹이를 주며, 성심껏 관리해 주신 천사 아주머니는 얼마나 서운하고 실망하실까. 야옹이가 꼭 돌아와 천사 아주머니와 전과 같이 함께 나들이도 하며 즐겁게 살기를 바란다.

그리고 많은 주민이 모여 재롱을 보며 웃음 꽃이 피는 행복의 광장이 다시 열리는 날이 오기를 기원해 본다.

4. 콩고

바닥에 조그만 것이라도 떨어져 굴러다니면, 지저분하게 느껴져 진공청소를 하고 걸레로도 닦는다. 청소기의 통에 빨리는 먼지와 회전 걸레에 묻어나는 먼지 등을 보면 '아 ~ 먼지가 이렇게 많이 날아다니는구나' 하는 생각이 든다.

집이 차량들의 왕래가 빈번한 도로가 앞에 있어 먼지와 소음이 많은가 보다. 베란다와 거실 등의 방충망도 보면 먼지들이 많이 붙어 있어 가끔 걸레로 닦아 준다. 그렇지만, 환기와 베란다 꽃들에 햇볕을 쪼여주기 위해 한두 번씩 밖의 창문을 열어둬야 한다.

어느 날 아내와 이런 상황에 대해 이야기를 나누고, 실내 공기를 정화해 줄 '콩고'라는 공기정화 식물을 사 왔다. 우리 가족을 건강하게 보살피기 위해 공기를 정화해 줄 친구다. 일요일마다 베란다 텃밭 화분에 올려놓고 물을 충분히 주며 샤워도 시켜준다. 가끔은 잎사귀에 묻어있는 먼지들도 걷어주며 마사지를 해 주고 일광욕을 시킨 후 거실로 옮겨놓는다.

그런데, 거실 탁자 위에 올려놓았더니, 햇볕을 쫓아 가느라 잎사귀가 베란다 쪽으로 자꾸 기울어진다. 방향을 반대로 돌려놓아도 햇볕 따라 기운다. 그래서 지금은 아예 조금 안쪽에 높이가 낮은 조그만 상위에 올려놓았다.

제자리를 잡았는지 움직이지 않고 안정되었나 생각하고 있는데, 또 기운다. 역시 너희들도 해가 없으면 안 되는구나. 모든 삶에는 햇빛과 볕이 있어야 하니 너희도 필요하겠지. 그간 보살펴 준 보답인지 점점 잎사귀도 많아지고, 포기 번지기를 하며 잘 살고 있다.

봄에는 분갈이를 하고 포기도 나눠 너희 이웃들도 만들어 줄게. 오래오래 친구하며 즐겁게 함께 가자. 우리는 서로 말로는 소통하지 못하지만, 늘 보며 살피고 느껴서 서로 상생의 방법을 배우고 생각하며 살고 있다.

오래오래 상생의 나날을 만들어 가자고 했는데 어느 날 실수로 냉해를 입혀 헤어졌다. 너무나 아쉬웠다.

5. 프엉화의 향수

벌써 세월이 많이 흘렀나 보다 태국에 일을 보러 다닐 때 후아힌엘 들렀다. 도로 중앙의 분리대용 정원에 심어져 멋지게 피어있는 프엉화를 보았는데 넘 아름다웠다.

나무 자체에 뿌리가 달린 채로 들여 올 수가 없어 가지를 삽목용으로 잘라서 몇 개를 갖어와 화분에 심어 길렀다. 정성껏 관리해 주었다. 얼마 후 뿌리를 내리고 잘 자라서 수년간 아름다운 꽃을 보며 즐겁게 살았던 적이 있었다.

그래서, 작년에 철쭉과 프엉화 화분을 사다가 관리

하면서 꽃을 보니 그때가 생각나며 향수에 젖으려 한다. 금년에는 철쭉은 토라졌고, 프엉화만 잘 크고 또 꽃도 활짝펴서 관리와 보는 즐거움을 내게 듬뿍 준다.

지금은 뿌~옇게 바랜 그때의 희망찬 꿈을 기억 속에서 더듬어 보게 한다. 그때가 아쉬워 캠프 자료들을 버리지 못하고 지금도 가지고 있다.

제 2부 함께 생각해 봐요

실린 글을 읽고 함께 생각하면서 살기 좋은 사회를 만들어 갑시다.

 1. 출산은 국력이다
2. 격대 교육제도를 되살리자
3. 우리 문화사랑
4. 자랑스러운 마스크 견
5. 세상에 나쁜 개는 없다. 잘못된 관리만 있다

1. 출산은 국력이다

    요즈음 우리 사회의 심각한 문제로 회자되고 있는 것은 저출산이다. 이는 경제적인 이유로 독신 생활, 결혼을 해도 자녀를 낳지 않는 것, 낳아도 하나만 낳기다.

    이런 현상이 왜 생겼을까? 곰곰이 생각해 보면, 과거 군사정권 시절에 잘 살아보기 위해 경제 부흥 정책을 시행 중에 자녀수가 많다 보면 양육비 등이 너무 많이 들어 가난을 면치 못한다면서 산아제한 정책을 쓴 결과가 아닌가 한다. ' 둘만 낳아 잘 기르자 '. ' 아들딸 구분 말고 하나만 낳아 잘 기르자 '의 구호가 말해 주고 있다. 당시의 경제 상황에서는 궁여지책으로 내린 결정이었으리라 본다. 그렇지만, 옛날에 어르신들은 저 먹을 건 갖고 태어난다고 집안이 벌죽해야 한다고 많이 낳자고 하셨다.

    그 당시 산아제한 정책을 펼 때는 잘 살기 위해 일을 열심히 하고, 공부도 열심히 하며, 돈을 많이 벌고 모아야 했었다. 그래서 산아제한을 외쳤고, 예비군 훈련을 산아제한에 활용하기도 했다. 또, 서독에 광부와

간호원 파견, 월남전에 군대 파병, 중동 건설에 건설 인력 파견 등으로 벌어들인 자금으로 대한민국을 경제 대국으로 만드는 데는 성공했다. 그러나, 경제 성장과 실력 쌓기만에 열중한 나머지, 실력을 쌓기 위해 과외로 쏠리면서, 경제적인 부담이 너무 크게 작용했다. 그리고, 제일 중요한 윤리와 도덕 등은 상대적으로 등한 시되고 있었다.

방송과 신문의 기사들을 보면, 대한민국은 출산율이 저조한 것이 가장 큰 문제라는 것이다. 예를 들면 지역에 따라 갓난 아기 울음소리가 들을 수 없게 된 지 오래되었고, 부부 1쌍의 출산율이 1명이 안된다는 것. 노인들만 살고 있고. 전국적으로 초등학교 입학 아동 수가 줄어서 점점 통폐합과 폐교가 늘어나고 있는 현실이라는 것이다.

위와 같은 현상들이 무엇을 의미하는 것인지 대한민국의 지도자들과 국민들은 뼈저리게 느끼고 대안을 하루빨리 찾고 실천해야 할 것이다.
그래서, 사회 전반적인 문제점과 그 대안을 제시해 보고자 한다.

1. 문제점
    - 학력 위주의 사회로 윤리. 도덕이 너무 소홀히
      되고 있음
    - 고학력 실업자가 많음
    - 무자녀 가정이 늘고 있음
    - 독신자가 늘고 있음
    - 외국인 근로자가 늘고 있음
    - 고령자 독신 세대가 늘고 있음
    - 지역적인 인구 집중과 부의 집중 현상이 두드러
      지고 있음
    - 핵가족화로 경로 우대 등이 약해지고 있음
    - 기타

위와 같은 상황에서 미래를 위한 대안을 생각해 보면,

2. 미래를 위한 추진안

  * 기본정책
    - 국가에 있어 국민의 역할에 대해 지속적으로 교
      육, 홍보함
    - 사회 모든 분야에서 윤리와 도덕의 중요성 교육
    - LH 주택공사는 임대 아파트만 건설함

1) 교육 분야
 - 보편적 가치에 대한 교육이 필요함
 - 국어, 한국사, 한국지리, 윤리와 도덕, 체험활
   동, 인성교육 우선
   / 필수 과목화하여야 함
 - 대학에서는 사회 각 분야별로 필요한 계열별
   교육을 강화함
 - 성적 위주가 아닌 상생 정신을 살려가야 함
   / 상생 사회를 위한 평생 교육도 필요함

2) 출산. 육아 지원 분야
 - 현행의 정책을 계승 발전시킴
   / 출산 휴가, 육아휴직, 보육 서비스
 - 경제적 지원
   / 자녀에게 필요한 모든 비용을 고등학교까지
     정부에서 지원
     <의. 식. 주. 교육 등에 필요한 모든 비용>
 - 거주지와 직장 근처에 보육 시설을 운영함
   / 시설에 입소 아동의 관계자 1명씩 윤번제로
     근무하도록 함
     · 일자리 창출과 안전 교육의 도우미 역할을 함

· 모든 시설은 이 제도를 수용하고 운영비를 지원 받음
· 아동 관계자의 근무는 국가 또는 근무처에서 수당을 지급함
- 모든 보육 시설이 운영상 문제를 일으킨 경우는 세칙에 따라 벌칙을 과 한다.
  / 재교육, 허가 취소 및 폐쇄, 자격증 반납 등
- 출산에 대한 인식을 개선토록 함
  / 교육, 광고, 홍보 등을 통해 출산에 대한 인식을 개선토록 함
- 다문화 가정도 다양하게 지원함
  / 언어, 경제, 문화, 가치관 등을 고려한 다양한 지원을 함
  / 다문화 가정에게는 양국의 언어와 문화 등을 교육해 성장 후 양국의 가교 역할도 할 수 있도록 함
- 모든 복지정책은 선택적으로 실시함

3) 일자리 정책
- 자녀를 둔 가정에 일자리를 우선 추천함
  / 단, 국가투자 기관, 공공기관, 대기업 등에 추천하되 소정의 절차에 의함

- 여성 직장인의 권리 보장
    / 임신, 출산, 육아 등의 이유로 퇴사하지 않도록 보장
- 24시간 가동 사업체가 3교대의 경우 4교대로 한다.
    / 이때 줄이는 시간의 임금은 50% 안팎에서 별도 정하여 줄임

4) 주택 정책
  - 다자녀 가정에 우선적으로 LH 주택을 제공하는 정책을 폄
    / 분양, 임대와 이사할 시 지역에 관계없이 적용
    / 입주 시 국가가 지정하는 은행에 가입하되 국가가 원리금을 보장함.
    < 다른 연금과 같이 국가가 보장함 >

5) 조세 정책
  결혼 적령기를 정하고 이를 지나면, 특별한 문제가 없는 독신자는 적정한 기간을 두고, 소득세를 추가하여 최고 한도 까지 징수함
  - 국가 전체 근로자 평균 연봉의 초과액은 별도 정한 소득세율로 추가 징수함
    / 추가 징수한 세금은 다자녀 가정 지원 자금 등으로 사용
6) 기타
  - 자녀 수에 따라 모든 지원의 방식 등에 차등을 둠

- 타 지역으로 이동 시에도 동일하게 적용함
- 동네나 아파트 단지 내에 독서실을 운영하자
  / 각 가정이 책을 독서실에 맡기면 모두가 더
    많은 책을 읽어 볼 수 있음
  / 독서량과 간접 경험을 늘리고, 이웃을 사귈
    수 있는 사랑방이 됨
- 독서실과 공동육아실을 법제화하는 것도 방법임

3. 효과
- 국가관을 확립시킴
- 윤리, 도덕적인 사회로 변화함
- 취업이 안정화되어감
- 결혼율이 증가함
- 국가의 인구수가 증가함
- 자녀를 보육하기가 쉬워짐
- 기업들의 인건비 부담이 줄고, 소득 재분배로 내
  투자와 소비가 진작될 수 있음
  / 국내 경기 활성화에 도움
- '상생 사회'를 만드는 지름길이 될 수 있음

위의 내용을 참고하여 보다 현실적이고, 발전적인

생각을 첨삭하여 좋은 정책을 만들어 실행하기를 바란다. 그렇게 추진하면 모두가 행복한 진정한 ' 상생 사회 '가 될 수 있을 것이다.

2. 격대 교육제도를 되살리자

오늘날 우리의 일상이 많이 변해있는데, 그중에서도 확연히 달라진 것은 핵가족화일 것이다.

우리가 살아가는 데 있어서 가장 중요한 것이 인력 생산이고 그다음은 교육이라고 생각한다. 오늘날은 결혼부터 기피 현상이 있고 경제적으로 자녀를 가르치기가 힘들다고 1~2명만 낳겠다고 한다.

자녀수가 줄어지면 인구가 줄고 인구가 줄면 나라의 존립이 위태로워진다. 국민은 자녀를 많이 낳고 국가는 그 자녀들을 고등학교까지 무상으로 교육을 시키자는 것을 찬성한다.

그 교육에 있어 은퇴 세대들이 일조할 것은 핵가족화와 부모 맞벌이 시대에 그 자녀들을 돌봐주는 것이다. 학원도 좋지만, 대가족시대 때의 할아버지, 할머니의 역할을 동네 어르신들이 해 줄 수 있도록 하면 어떨까. 당시에는 밥상머리 교육도 있었는데 참 아쉽다.

어르신의 중요성은 '마을에서 어르신 한 분을 잃는 것은, 큰 도서관 하나를 잃는 것과 같다'라고 한 베르

나르 베르베르의 말. 일찍이 일본에서 팀으로 작업을 하는데, 나이가 많은 사람을 팀에서 제외했더니 일의 능률이 오르지 않아 다시 복귀시켰다는 이야기. 그리고 이스라엘에서 나이 든 은퇴자들이 동아리를 만들어 조그만 생각을 대화를 통해서 실속 있는 유·무형의 상품으로 만들어 내고 있다는 이야기를 TV에서 본 적이 있다.

이와 같이 우리도 은퇴한 도서관인 어르신들이 잡담과 잡기로 허송세월을 하시게 하지 말자. 그분들의 경험 등을 우리 사회의 발전을 위해 보람되게 활용하실 수 있도록 하자는 것이다.

그 방안은 이렇다.

* 격대교육 지도사 양성 프로그램을 만들어 희망자를 모집함
  - 교육기간 /6개월 ~ 1년
  - 교육과목 /윤리, 도덕, 민속놀이, 미풍양속, 그림 그리기, 글쓰기 등 각종 체험활동
  - 일정 기간 수강 및 간단한 시험 후 자격증 부여 및 축하금 등 지금

- 기타

* 격대교육 지도사 활용
  - 유치원, 초. 중 등 학교 방과 후 강사
  - 주민센터 등에 주민을 상대로 한 강사
  - 마을에서 핵가족과 조손 맺기
  - 기타

* 기대효과
  - 격대 교육을 통해 가정과 사회가 밝아짐
  - 격대 교육을 통해 윤리와 도덕이 바로 섬
  - 어르신들의 일자리가 창출됨
  - 기타

위와 같이 시행하여 우리 사회에 정착되면 여러 가지 면에서 많은 도움이 되리라고 생각한다. 이에 대해 각 가정과 사회 그리고 국가에서도 검토. 보완해서 시행하여 모두가 행복한 '행복마을'을 만들었으면 한다.

2. 우리 문화사랑

얼마 전 어느 복지관의 프로그램들이 좋아 그곳에 가서 회원 가입하기 위해 서류를 작성하는데, 종교를 묻는 항목이 있었다. '불교, 기독교, 천주교, 무교, 기타( )'로 되어 있었다. 담당 직원한테 '아니 어떻게 우리나라에서 발생한 4대 종교에 들어가는 원불교가 없네요?' 하고 물었다. '만든지 오래돼서요'라고 말한다. 이런이라고 정말로 어이가 없었다.

우리나라, 그것도 바로 이웃인 영광에서 1916년에 창시되어 104년째다(2019년). 미국, 아프리카, 중국, 일본, 캐나다, 독일, 프랑스, 뉴질랜드, 호주, 베트남, 라오스, 캄보디아, 네팔 등 세계로 뻗어나가고 있는 원불교를 빼고 종교를 묻는 질문지가 있을 수 있나. 이렇게도 생각이 없을까 염려하면서 이 글을 쓰게 되었다.

우리 것을 아끼고, 사랑하는 것이 곧 애국이고, 좋은 것은 키워 더욱 발전시키고 좋지 않은 것은 바로 없애는 것이 나라 사랑이 아니겠는가. 우리의 과거를 직시하고 미래를 위해 어떻게 살아야 할 것인가를 잘 생각하면서 살아야 할 것으로 본다. 현실의 어려움을 어떻게 타개해 나가는 것이 최선의 길인가를 깊이 생각하고, 머~언 미래를 내다보는 혜안을 갖고 살아가기를 바라면서 줄인다.

그리고, 주민들의 행복한 삶을 위해 각종 프로그램의 진행을 위한 재능기부를 하시는 강사님들께 감사드린다. 또 진행과 관리를 위해 많은 수고를 해 주시는 관계자 여러분의 건행을 기원한다.

4. 자랑스러운 마스크 견

* 사진의 견주는 사용하셔도 됨

   시간이 흘러 인사와 안부를 나누는 이웃이 늘면서 흐뭇한 일도 생긴다.

   며칠 전 단지를 걷다가 만난 이웃의 대학 다니는 딸이 애견과 운동하는 이야기와 내가 중학교 때 기르던 개 이야기 등을 나누었다. 사실 이웃의 그 개를 볼 때마다 어렸을 때 기르던 진돗개, 할머니가 지어 주신 이름의 ' 백구 '가 생각난다. 개를 애지중지하는 주인은 어찌 생각할지 모르지만, 이웃에게는 입마개가 제일 중요하지 않나 나름 생각한다는 이야기를 나누고 헤어졌다.

   그런데, 오늘 그 이웃의 딸이 또 애견과 단지를 산

책하고 있지 않은가. 반가웠다. 더구나 입마개까지 하고 있지 않은가. ' 누가 입마개를 채웠니? ', ' 아빠가 사서 나갈 때 채우라고 하셨어요 ', ' 아~ 그러셨구나. 더 이쁘고 멋있어 보인다 '라고 대화를 나누며 사진도 한 컷하고 헤어졌다.

대화가 되는 상생 이웃이라고 생각하며 집으로 오는 길에 나름 흐뭇함을 느꼈다. 모두가 이렇게 상통하는 이웃이 되면 좋겠다.

애견 관리에 대해 관심을 갖고 글을 쓰게 된 게기는 이웃이 이웃의 애견에 물리고, 죽는 사고 등을 뉴스에서 보아서다.

또 단지를 걷다가 갑자기 달려든 개 - 불독같이 인상 고약한 중견, 조그만 강아지가 차 밑에서 갑자기 뛰어나오면서 으르렁거리며 달라들 때 놀란 경험 -에게 깜짝 놀란 적이 몇 번 있어서다.

관에서는 애견의 종류에 관계없이 모두 입마개를 우선적으로 채우는 조건을 넣어야 한다고 본다. 자기의 애견이 이웃에게서도 사랑받을 수 있도록 교육시키고 관리해 상생 행복마을이 되을 만들자.

5. 세상에 나쁜 개는 없다. 잘못된 관리만 있다

요즈음 심심찮게 기사화되는 누군가의 반려견에 물리는 등 여러가지 사회적인 문제가 점점 심각해지고 있는 것 같다. 본 글은 2020년 7월에 80대가 반려견에 물려 숨졌다는 어느 TV의 뉴스를 보고 썼다.

물론, 길을 가다가 짖고 달라들면 깜짝 놀라지 않을 수가 없다. 분변 처리 등의 여러가지 문제들이 발생하고 있는데, 견주들은 이런 경우에 대한 준비들이 별로 없을 뿐 아니라 미안한 감도 별로 없는 것 같아 보일 경우가 많다.

그래서 아래와 같은 조치를 하자고 제안합니다.
* 처음 입양 때 교육하고 매 6개월에 한 번씩 일정 시간 교육을 받게 함
* 견주는 애완견에 입마개, 목줄, 연락처를 필히 착용 시키고, 분변 처리 용구를 소지하고 외출함
  / 입마개 착용 시 줄이 풀리거나 달려 들어도 사 고를 낼 수 없음
  / 조례 제정으로 가능하지 않을 경우 법을 개정해 야 함

* 반려견을 기르려면 반려견 사고에 대한 보험에 가
  입함<관련 보험 강화>
* 사고를 낸 맹견은 무조건 안락사시키고, 견주는 제
  반 피해 보상과 교육을 받게 함

　위와 같은 조치를 취하고 모든 애견가들이 지켜서
애지중지 기르는 견공들로 인한 사회적인 불편함들이
없는 행복마을이 되기를 바란다.

　<본 글은 국민함에 게재된 것으로 일부 보완하여 다시 올림>

제 3부 서로를 생각하는 삶

이웃을 생각하며 사회생활의 참 맛을 느끼면서 살자

1. 상생의 실천
2. 상생마을 한 바퀴
3. 이웃 돕기
4. 아름다운 거리
5. 오월의 새싹
6. 마을은 안방이다

1. 상생의 실천

단지를 거닐다 보면, 주민들과 만날 때가 많다. 그런데, 유득히 자주 보고 만나는 이웃이 있어 멈춰서 가끔씩 이야기를 나누고 간다. 이분은 단지 내 아파트 화단을 열심히 가꾼다. 전에는 아주머니가 가꿨는데... 한참 후에 알고 보니 부부다. 사모님이 어린 손주를 보살피게 되어 인수인계한 것이다.

지나면서 지켜보니 열심히 그리고 꾸준히 한다. 이것저것 철 따라 여러 가지를 심어 관리한다. 비용은 어떻게 하냐고 물었더니 자부담으로 한단다. 옆 단지로 가서 꽃과 나무를 심어 관리하는 것을 구경해 보니 정말 잘 하고 있었다. 부러웠다.

그 후 관리소장에게 이런 경우 좀 지원해 줘야 하지 않겠냐고 했더니, 쓸데없이 물만 사용한다고 주민들이 오히려 마뜩잖게 생각한단다. 그것도 일리는 있지만, 단지를 아름답게 꾸민다는데 이럴 수가 있을까? 비록 특정 동에서 하고 있는 일이지만 이것이 전체로 확산될 수도 있을 것이다.

또, 다른 관계자에게 옆 단지의 수국 등을 이야기했더니, 입구에 조금밖에 없다고 우습게 평가를 한다. 참 사람들이 이렇게 시야도 좁고 생각이 짧을까 싶어 혼자 고심했다. 그렇지만 주민자치위원과 아파트 선거관리 위원장을 지냈기 때문에 대표, 관리소장, 화단 관리하는 분과 이야기를 나누기가 쉬웠다.

어느 날 관리사무소 직원들이 뭔가를 들고 움직인다. 유심히 봤더니, 화단 울타리, 수국 삽목용 화분 등을 사다 준다. 아~ 이제 통했구나 나름 흐뭇했다. 그 후에도 단지를 아름답게 만드는데 여러 가지 제안으로 꾸준히 동참하고 있다. 단지를 오가며 보고, 듣고, 이야기하며, 스치는 생각들을 정리해서 보내준다. 한 번에 다 하려면 바쁘고 자금 부담이 되니까 천천히 시행하자고 단서까지 붙여 보낸다.

단지를 다니다 보면 흐뭇할 때가 많다. 제안했던 일들이 하나하나 진행되고 있는 것의 결과가 보이기 때문이다. 울타리 쪽의 전깃줄을 건드는 은행나무의 전정, 단지 내 벽보 게시판 수정. 보완, 주차장 관리 설치물 등... 모든 것들이 아파트를 아름답게 만들고, 주민들이 사용하고 주민들을 위한 시설물들이 아닌가.

그분이 아파트를 위한 동 대표가 된 것이다. 아파트를 위한 일을 하면서 좋은 분들이 동대표가 될 수 있도록 주민들께 출마와 추천도 요청한다. 한편으로는 좋은 분들이 동 대표가 되기를 기원하기도 한다.

이제 조금 지나면 수국들이 자라서 삽목과 이식을 통해 단지가 아름다운 꽃밭이 될 것이다. 그때가 기다려진다. 모두가 동참해 상생의 살기좋은 동네를 만들어 가면 좋겠다. ' 상생마을 ' 그리고 '상생 사회'를 만드는데. 함께 힘을 모을 수 있으면 한다.

2. 상생마을 한 바퀴

상생마을 한 바퀴는 이제 일상이 되었다. 하루에 2번 안팎으로 마을을 걷는다. 날마다 같은 곳만이 아니라 조금씩 다른 곳도 걸어 본다. 어떤 때는 일보러 나갔다 오면서, 나갈 일이 없을 경우는 분위기 쇄신 겸 일부러 돌아보고 온다.

마을을 걷는 것은 건강관리의 일환이었다. 그런데, 상생마을을 위한 새로운 생각, 이웃과의 대화 등이 추가된 일상이 된 것이다. 한 바퀴를 시작한 지 이제 3년이 되어간다. 이렇게 걷다 보면 가족과 마을에 관한 여러 생각들이 떠오르기도 하고, 새로운 것들이 보이기도 한다.

며칠 전에는 돌아오면서, 길을 어지럽히고 있는 스쿠터를 정리하고 계속 걸었다. 면장갑을 벗을 때 손목의 염주가 떨어졌었나, 어떤 아가씨가 뒤따라오면서 염주를 줘서 받았다. 아무 생각 없이 받아 끼고 고맙다고 인사를 하려고 봤더니 반대쪽으로 저만큼 가고 있었다. 바로 고맙다고 인사를 못해 미안함을 갖게 되었다.

손목 염주가 두 개인데, 하나는 거의 10년 전 초파일 날 태안사를 갈려고 집을 나서다 주은 것이고, 다른 하나는 구입한 것이다. 그런데, 이번에 떨어뜨린 것이 그때 주은 것이다. 전생에 나와 인연이 깊어서 헤어질 수가 없나 보다. 더욱 소중히 꼭 끼고 다니면서 오래도록 함께 해야겠다.

　　이것저것 생각하며 오는데 인도에 눕혀져 있거나, 보행자나 차량 운행에 방해가 되게 방치된 스쿠터 등 임대 이동 수단들이 있다. 이것도 봉사지 하면서 보이는 대로 통행에 방해가 되지 않도록 사선으로 인도에 안전하게 잘 정리해 두고 온다. 그런데, 왜 사용자들이 사용 후에 아무렇게나 두고 가는지 이해가 안 된다. 이는 행정당국에서 사업자를 잘 교육하고 반납 장소도 만들 수 있게 하며, 사용자들을 교육도 시키도록 해야 할 것으로 본다.

　　이런 사연들을 안고 돌아서 단지에 들어와 마지막을 돌고 있는데, 눈에 익은 준 트럭이 주차할 곳을 찾는 모양이다. 넣다 뺏다를 몇 번 하고 다니는 걸 보니 주차가 쉽지 않나 보다. 마침 내가 꺾어 도는 곳에 자리가 있어, 먼 곳에서 주차를 못하고 망설이는 사장님에게 손짓을 해 주차하게 해 주었다. 그랬더니. 주차 후에 내려와 감사하다고 인사를 한 것이다.

팔만대장경(八萬大藏經)의 일부인 '잡보장경(雜寶藏經)'이라는 불경에 나오는 무재칠시(無財七施)는 내가 가진 것 없이도 베풀 수 있는 일곱 가지를 보여주고 있다. 돈도 들이지 않고 이런 조그만 일로 이웃과 흐뭇한 미소를 나눌 수 있음을 새삼스럽게 느낀 순간이었다.

이렇게라도 이웃 또는 행인과도 소통하면서 서로 돕고 웃으며 사는 '상생마을'이 되면 좋겠다.

3. 이웃 돕기

    건강을 위해 특별한 일이나 기후에 문제가 없을 때
는 아침, 점심, 저녁 식사 후에 하루 1만에서 1만 3천
보를 걸었을 때다.

    지난해 7월 저녁 후 동네를 걷는데, 가는 길 앞에서
뭔가가 움직인다. 도착해 보니 5만 원권 4장이 접힌
체 바람에 흔들린 것이다. 살다 보니 이런 경우도 있

구나 생각하며 귀가했다. 여러 가지 생각이 떠올랐으나 방향을 정하고, 다음날 지역 지구대에 가서 주인을 찾아주라고 맡겼다. 신고했다고 확인서를 발행해 준다.

습득물은 신고가 되면 6개월간 경찰청 유실물 통합포털에 공지된단다. 신분증 등 분실자를 특정하기가 어려워 분실자가 쉽게 나타나기 힘들 거라고 했다. 신고 후 다른 곳에서 일을 보고 있는데, '경찰청 유실물 통합포털(LOST112)에서 습득물 신고가 접수되었다고 메시지가 왔다. 공지 기간 6개월 동안에 주인이 나타나지 않으면 신고자에게 돌려준다고 한다. 해가 바뀌고, 메시지를 여러 곳과 주고받는데. 어느 날 지구대로부터 메시지가 왔다. 습득물 건이었다. ' ... 4월 22일까지... '로 보였다. ' 으 ~응 3달간 연기되나 보네 ' 하고 생각하다 다시 자세히 보니 습득물의 소유권이 확정된 것이다. 그때까지 찾아가지 않으면 국고에 귀속되는 모양이다.

관할 경찰서에 전화로 약속하고 찾아갔다. 담당자분과 상담을 하면서 기부를 하려고 한다고 했더니, 일단 신고가 된 것이니 신고자가 찾아서 기부해야 한단다.

이런 내용을 알고 있었더라면 주인이 나타나지 않으면 주민센터에 기부하겠다고 하면 되는 것이었다. 약속을 해 놓은 상태라서 부득이 내가 찾아서 기부해야 한다. 신고 금액의 22%를 세금도 납부하고, 이번 일로 한 가지를 배우면서 좋은 일 하나를 한 것이다.

당시에는 주민자치회 활동으로 동네를 이곳저곳 톺아보면서 걷고 다닐 때다. 그 후 걷기와 관련된 수기를 제출할 때도 습득물이 있음을 포함시켜 제출했었다. 그래 기왕지사 기부하기로 했으니, 용돈을 좀 보태서 하는 것도 의미가 있고, 그렇게 하는 것도 괜찮겠다는 생각이 들었다.

다른 곳에도 매달 고정적으로 또 특정 행사 때 조금씩 기부를 하고 있다. 물품이든 현금이든 많고 적고 양을 따지지 않고 일단은 사회를 위해 쓸 수 있도록 기부를 한다는 것은 좋은 일이 아닌가. 용돈을 조금만 아끼면 가능하다 보니 흐뭇하기도 하다.

이번의 기부는 분실자와 습득자가 함께 이웃 돕기를 위해 기부하는 것이다. 이것도 보이지 않는 분실자와의 전생과 내생을 위한 지중한 인연이 아닌가 싶다.

4. 아름다운 거리

거리는 다니기 편하고 볼거리가 많아야 한다. 국가적 또는 지역적인 상징물, 지역 인물 동상, 공원에는 쉼터, 놀거리와 아름답고 예쁜 꽃과 나무가 있어야 할 것이다. 깨끗하게 잘 정리되어 있어야 함은 너무나 당연하다.

그런데, 현실은 어떤가. 길거리를 다니다 보면 여기 저기 쓰레기에 위험한 것들이 많이 놓여있다. 특히, 차량들이 늘고 스쿠터 등 임대 이동수단들이 늘어나면서 더욱 심해지고 있는 것 같다. 스쿠터가 인도, 인도와의 경계인 차도에 놓여 있는 것도 많이 보인다. 인도도 안전한 곳에 잘 정리되어 있는 것이 아니고, 흩어져 보기 흉하게 널려있다. 다른 임대 이동 수단들도 숫자는 많지 않지만 마찬가지다.

대한민국은 세계 10대 경제대국에 들어가는 나라다. 해방 후 원조를 받는 나라에서 다른 나라를 돕는 나라로 우뚝 서 있다. 모든 지도자들과 온 국민이 굳게 뭉쳐서. 경제 수준에 어울리는 윤리. 도덕 수준 과 행복수준을 향유하는 나라로, 하루 빨리 변화되어야 하지 않겠는가. 그리고, 지구촌을 이끌고 선도하는 대한민국이 되어야 한다고 본다.

지구촌의 선도국이 되기 위해서는 최우선적으로 교육을 바로 세워야 한다. 지식만을 전달하고, 시험 위주의 줄세우기, 암기 위주의 교육이 아니라, 토론과 체험이 우선 시 되는 교육. 필수 과목은 국어, 윤리. 도덕, 역사, 지리, 체육, 체험활동이 되었으면 한다.

그리고 길거리의 안전과 아름다움을 위해서 임대 이동수단에 대한 관리 지침도 제대로 마련되어야 할 것이다. 문제점으로는 사용자들의 공중 도덕 수준에 문제 있고, 사업자들이 임대 사용자들에 대한 교육과 관리 등의 부실이라고 본다.

이에 대한 대안으로 정부의 관련 부처와 지자체에서 관리 지침을 만들고, 사업자와 사용자들을 교육해야 하며 이들이 제대로 지켜지지 않을 때 벌칙도 과해져야 한다고 본다.

이렇게 해서 보다 살기 좋은 나라 대한민국을 만들어 가자.

5. 5월의 새싹

겨울이 지나고, 봄기운이 돌면서 주변이 연록의 세상으로 변하고 있다. 보기만 해도 싱그러움과 활동적임에 눈과 가슴이 시원하고 훤하며 세상이 밝아 보인다.

봄의 이 연록은 싱그러움이 쭉쭉 퍼지며 자라서 짙푸른 세상으로 힘차게 달려가고 있다. 나름은 더 활기찬 여름을 통해 풍요로운 가을을 꿈꾸며 갈 것이다. 이렇게 줄기차게 달려온 가을은 울긋불긋 온 산하를 물들이고 들판의 일렁이는 황금물결은 오곡의 풍성함을 노래할 것이다. 이 향연이 끝나면 한 해를 바삐 살아온 피곤함을 녹이는 휴식의 긴 겨울이 온다.

생태계의 이러한 순환은 생명체와 무생명체를 가리지 않고 세상 만물 모두에게 있다고 본다. 인간도 이 세상의 만물 중에 하나이기에 끊임없이 돌고 돌 것이다.

자라나는 새싹! 어린이들도 연록으로 아름답게 쑥쑥 자라고 윤리와 도덕으로 짙푸르게 잘 물들며 성장해야 한다. 또 우리 새싹들이 많이 태어나고 휘거나 꺾이지 말고 올곧게 자라기 바란다. 그래야 아름답게 꽃을 피우고 탄탄한 후세를 남기며 세세생생 끊임없는 행복한 생사가 되풀이될 것이다.

후대를 이을 자라나는 새싹들이 나쁜 환경에 오염되지 말고, 부모님, 선생님, 이웃 어르신들의 가르침을 잘 따르고 배우며, 상생 이웃을 만나고 또 되기를 바란다. 평생 동안 믿고 따를 수 있는 큰 스승을 얻고 같이 하기를 바란다. 주변에 좋은 친구! 따르는 후배! 챙겨주는 많은 선배들을 만나 날마다 즐거운 일상을 함께 하기를 바란다.

그렇게 해서 이 사회를 이끌어 갈 크고 든든한 길잡이가 되고. 오손도손 함께 사는 상생사회를 만들어 주기를 간절히 기원한다.

6. 마을은 안방이다

귀가 중이라 부지런히 걷고 있는데, 어떤 아줌마가 강아지 목줄을 잡고 길바닥을 닦고 있었다. 지나면서 뭐 하는 거지 하면서 돌아보았더니 종이로 강아지 뒤를 닦아 길 화단에 버리고 일어선다. 아줌마 그것을 거기에 버리면 어떻게 합니까? 가지고 가셔서 쓰레기통에 버려야지.

아주머니가 가지고 가는 것까지는 보고 왔으나, 믿을 수가 없다. 자기가 기르는 강아지의 관리는 생각하면서 동네에 강아지 뒤처리 쓰레기는 아무 데나 버려도 되나요?

애완견에 대한 관리를 보다 철저하게 할 수 있도록 법을 재 정비해야 할 것으로 보인다.

가칭 '애완견 관리법'
1. 모든 애완견은 출생, 주인 변경, 사망 등에 대해 꼭 신고함
2. 동반 외출 시 입마개, 목줄, 이름표, 연락처를 부착하고, 분변 등 처리 도구를 지참한다.

3. 위 1, 2를 지키지 않은 경우에는 적당한 벌금을 부과한다.
4. 애완견 주인에게 관리에 대해 교육을 시킨다
5. 벌금이 납부될 때까지 애완견을 압류함

위와 같이 마을을 안방처럼 사용할 수 있게 철저히 관리해야 할 것으로 본다.

제 4부 스스로를 다스리자

이웃과 상생하기 위해 힘들지만 자신부터 다스리자

1. 감사합니다
2. 비나이다
3. 인
4. 제비
5. 쇠제비갈매기의 교육
6. 자연에서 배우자

1. 감사합니다

간밤에 무탈하게 희망의 새 아침을 주심에 감사드립니다. 주변에는 감사할 일들이 수 없이 많으나, 시간 없다며, 바쁘다는 핑계로 신경을 쓰지 않아 보이지 않을 뿐일 것이다.

오늘도 평소와 같이 하루를 즐겁게 만들어 갈 수 있도록 이끌어 주시길 기원합니다. 가족 또는 이웃의 도움 없이 혼자서 모든 일을 할 수 있도록 배려해 주심에 감사드린다.

길을 걷다 보면 감사할 일, 눈에 보이지 않게 봉사할 일들이 많다. 여기저기 버려진 재활용품, 쓰레기, 임대용 스쿠터와 자전거 등의 정리도 좋은 일하는 것이고 흐뭇한 일이다. 길 가는 사람들이 불편하지 않도록 해 주는 것 자체가 봉사하는 것이다.

내가 살고, 머물며, 활동하는 곳은 모두가 내 집이다. 내 방, 내 집만이 내 집이 아니다. 물론 버리는 사람이 있어야 청소할 사람이 필요하니 일자리 창출도 된다. 그러나 그것은 공중도덕의 결여가 아닌가 한다. 청소하고 봉사활동하는 분들에게 늘 감사하는 마음을 갖고 살고 있다.

이웃과 감사함, 고마움 그리고 칭찬을 나눌 수 있는 마음의 여유를 가져야 할 것이다. 이제 집에까지 택배가 배달되니 정말 편하다. 그래서 조그만 음료수를 준비해 두고 수고하는 분들에게 드린다. 택배 연락이 오면 미리 준비해 전달하려고 하나 코로나가 막고 있어 그것도 전달하기가 어렵다.

가장 가까운 이웃은 가족, 그리고 옆집들이다. 사회가 복잡해질수록 가족, 일가친척은 흩어져 자주 못 만나니 주변의 이웃이 상생 이웃이다. '수처작주(隨處作主)'의 가르침대로 살면 얼마나 좋을까. 그곳이 진정한 '지상낙원'이요 '상생 사회'가 될 것이다.

2. 비나이다

국내외가 하루도 조용할 날이 없이 시끄럽기만 하다. 사람 사는 곳이 시끄러워야 사는 것 같고 더욱 발전할 수 있다는 말도 있다. 그러나, 시끄러움이 발전적이지 않아서 걱정이다.

어둠을 밝혀주고, 모든 생명체들의 삶에 필요한 것들을 제공해 주는, 해님과 달님같이 자혜로움을 베푸는 세상을 만들 수는 없을까?

왜?

베풀며 이웃과 상생의 삶을 살아야지, 빼앗고, 챙길려는 사람들의 목소리만 커가는 것일까? 무엇이 어디서부터 잘 못되었는지 그 원인을 찾아서, 하루라도 빨리 고쳐나가야 하지 않겠는가?

'잡보 장경(雜寶藏經)'에는 무재 칠시(無財七施)라고 갖지 않고도 베풀 수 있는 것이 7가지가 있다고 한다. 또, 법정 스님이 '무소유의 소유'를 말씀하셨듯이, 행복이 꼭 많이 소유해야만 되는 것이 아니라고 한다.

지구촌이 이웃과 잘 소통하며. 돕고, 베풀고, 나누면서, 이끄는 평화로운 '상생 사회'가 되면 좋겠다. 이를 위해서 조석으로 함께 기도합시다.

3. 忍

'참는 자에게 복이 있나니'와 '참을 忍 자 3번이면 살인도 면한다'라는 말이 있다.

공자가 말씀하시기를 '모든 행실의 근본은 참는 것이 으뜸이다'라고 했다 고 한다. 이와 같이 참는 것이 좋다. 그러나, 좋은 줄은 알면서도 참기가 그리 쉽지만은 않다. 그래서 부단히 훈련해서 만들어 가야 한다. 상생 이웃이 되기 위해서는 마음공부를 꾸준히 해야 할 것이다.

참으면 나라가 흥하고, 이웃들 모두가 나라와 함께 날로 발전할 것이다. 가정도 화목해서 부부가 정이 깊어지고, 형제간에도 우애가 쌓인다. 이렇게 발전해 가면 이웃과도 웃음꽃이 만발해 상생 이웃이 된다. 그러면, 온 세상이 상생 사회가 될 것이다.

자~ 오늘부터 이 글을 보신 분들은 다 함께 '참을 忍'을 실천해 갑시다. 그렇게 해서 모두가 힘을 모아 항상 화목한 가정! 상생 이웃! 평안한 상생 사회!를 만듭시다.

4. 제비

이제 조금 더 지나면 강남 갔던 제비가 돌아올 때가 되니 벌써부터 기다려진다.

우리의 생활 속에 제비와 관련된 말들이 많다. 자기를 구해준 사람을 위해 박 씨를 선물로 가져다주었다는 것. 제비는 상서로운 동물이니 잘 거둬줘야 한다는 말. 제비집으로 맛있는 요리를 해 먹는 것 등이다.

만물이 생동하는 봄이다. 산과 들의 모든 생명체들이 움직임도 활발해지고, 이곳의 추위를 피해 강남으로 떠났던 제비도 돌아와 모두가 활기를 되찾을 것이다.

어릴 적에 제비들의 움직임을 그냥 이웃으로만 보고 살았는데, 자세히 살펴보니 정말 지혜로운 생명체다. 제비는 우리나라의 기후 때문에 음력 3월 3일경에 왔다가 9월 9일 경에 강남으로 돌아간다.

강남에서 오면 전에 살던 집으로 대부분 들어간단다. 그렇지 않은 경우는 새들어 살 집터를 여기저기 보고 다니다가 어딘가 맘에 드는 터와 주인을 찾으면 집을 짓기 시작한다. 처마 밑 등 사람들이 가깝게 있는 곳에 집을 짓는 것은 고양이 등 천적으로부터 안전하기 때문이란다.

집을 짓는 자재는 길의 진흙을 입의 침과 섞어서 함께 물어 온 지푸라기들을 차곡차곡 쌓아 올린다. 아래쪽 한 점을 시작으로 반원의 항아리식으로 쌓아 올려 튼튼하게 짓는다. 제비들도 가족이 살 집, 특히 새끼를 기를 곳이니, 안전한 곳에 좋은 자재로 튼튼하게 만든다.

보고 있으면 짐승들이지만 대단했다. 집이 완성되면 열심히 날아다니면서, 사냥을 하며 살을 찌우고, 새끼를 키울 준비를 한다. 제비는 먹잇감인 곤충들이 많아지는 4월에서 7월 사이에 알 3 ~ 5개를 낳는단다.

어느 날부터 제비가 한 마리씩만 운동과 먹이 사냥을 나다닌다. 그것은 이제 알을 품었다는 신호이기에 조금 지나면 귀여운 새끼들을 볼 수 있겠다는 기대로 잔뜩 부푼다.

제비들은 주인들이 집을 둘러봐도 걱정을 하지 않고 알을 꼭 품고 있다. 대부분이 지난해 살던 곳이어서 주인과 친숙하고 믿기 때문에 그런 것 같다.

제비 부부는 번갈아가며 알을 품고 사냥과 운동을 한다. 한참이 지나니 알을 깨고 새끼들이 나온 모양이다. 조금은 시끄러워진 것 같으며 움직임들이 달라져 보인다.

새끼들이 알에서 하나, 둘 나오기 시작하면 어른들은 더 바빠진다. 먹이 조달과 둥지 청소를 해야 하기 때문이다. 거기다가 새끼들의 배출물들을 입으로 받아 멀리 날아가 밖에다 버려야 한다. 그래야 좁은 집이지만 깨끗해 위생적이고, 천적들로부터 안전하게 지킬 수 있는 방법이기도 하기 때문이다.

어떻게 그렇게 교육이 되었는지 어미가 먹이를 물고 오면 다 같이 노란 입을 벌리고 주라고 법석인다. 부모 제비도 대충은 앞전에 먹인 새끼를 아는지 적당히 나눠 먹이는 것 같아 보였다.

또 먹이를 먹고 부모 제비가 사냥을 나갈 즈음이면 꽁무니를 바깥쪽으로 들고 하얀 똥을 싸서 부모 제비가 가져다 버리게 한다.

이렇게 새끼들을 길러 한 달 정도가 지나면 둥지를 떠날 준비를 한단다. 이때부터 부모 제비는 새끼들이 둥지를 떠나 나는 법, 먹이를 사냥하는 법, 강남까지 다녀올 체력 단련 등 여러 가지 살아가는 방법을 교육한다고 한다.

　그렇게 먼 길을, 더구나 바다 위 등도 마다 않고 갔다가 때가 되면 정확히 살던 곳으로 온다는 것이 너무 신기하고 대단하다. 약육강식의 생존경쟁 세상에서 안전하게 종족을 번식시켜 나가기 위한 생존의 법칙을 철저하게 훈련시키고 배우나 보다.

　만물의 영장이라고 자처하는 사람들이지만, 배워야 할 것이 많은 상생 누리촌의 다양한 세계가 아닌가 한다.

천재 학습백과 등 참조 / 제비 관련 글

5. 쇠제비갈매기의 교육

KBS1의 자연 다큐멘터리를 보고 동물들의 교육 활동에 탄복을 다시 한번 했다. ' 쇠제비갈매기 '를 안동호로 다시 불러들이기 위해 거듭된 실패를 딛고 성공한 연구와 실천에 찬사를 보낸다.

쇠제비갈매기는 물 가운데 등 나름 안전하다고 생각하는 모래와 자갈이 있는 곳에 보금자리를 만들어 새끼를 낳고 기르는 것으로 보인다. 그런데, 안동호의 수위가 높아져 인공섬을 만들어 주는 주민들의 복구 노력에도 수위가 높아져 섬이 없어지고, 부엉이들이 저녁에 와서 새끼들을 잡아먹어 번식이 어렵게 만든다.

이를 연구진과 주민들이 합심하여 인공섬이 자동으로 수위에 따라 높이 조절이 가능하고, 새끼들이 천적과 더위를 피할 비닐로 된 양 끝은 터져있고, 몸통에도 구멍이 뚫려 환기가 잘 되는 통을 심어준다. 이것으로 수위가 높아져도, 천적이 쫓아와도, 더위까지도 안전하게 피할 수 있게 되었다.

제비들은 인공섬 주변의 비닐에 내려가 목욕도 하

고 시원하게 지내며 무럭무럭 잘 자란다. 이런 상황에서 어미로부터 먹이를 받아먹고 자라다 날기와 먹이 잡는 훈련 등을 받고 머나먼 곳으로 떠날 준비를 완벽하게 한다.

보호 속에 자라면 날 수도 없고 먹이 활동도 못하니 도태될 수밖에 없을 것이다. 어미는 물고 있는 먹이를 전과 같이 그냥 주지 않고, 빼앗으러 쫓아오게 만들고 날게 만든다. 참 대단한 발상의 훈련이다.

우리 인간도 보호 속에서만 길러서는 안 된다. 스스로 문제를 해결할 능력을 기르도록 다양한 훈련을 시켜 자생력을 길러줘야 하지 않을까 한다.

6. 자연에서 배우자

우렁찬 매미의 흥겨운 노랫가락은 어디로 가고.....

태양열이 작열하던 여름! 길을 가다 큰 나무 그늘에 들어가 잠깐 더위를 피하다 보면 시원하게 바람이 분다. 또 매미는 메아리인 우렁찬 노랫가락으로 길손을 반기는 듯 귀를 즐겁게 해 준다. 정자나 벤치까지 있어 앉아서 듣노라면 눈이 스스로 감기면서 감상에 젖기도 했다.

그런데, 뙤약볕 아래 큰 나무 위에서 즐겁게 노래 부르며 천하를 호령이라도 하듯 하던 매미의 고고함은 머지않아 태풍이 올 것을 알고 미리 떠난 것일까? 언제부터인가 떠나기 아쉬워서일까? 매미들의 노랫소리가 힘이 빠져가면서 귀뚜라미들의 독창 무대가 되었다.

이것이 여름을 보내기 아쉬워하는 매미의 심정이었고, 새로운 가을을 맞으면서 그 주인공이 된 귀뚜라미의 신나는 목소리가 아닐까? 여름에서 가을로 넘어가는 자연 생태계의 자연스러운 이어짐의 신호이기도 할 것이다.

이런 곤충들도 자기의 시대를 맞아 즐길 줄 알고 다른 곤충에게 아끼고 즐기던 자기만의 시대를 넘겨줘야 한다는 자연의 섭리를 알고 있다. 거기에 순응하면서 자기만이 즐겁고 재미있게 풍미하던 한 시대를 다음을 기약하면서 미련 없이 넘기고 떠나는 것 같다.

우리도 이런 거스를 수 없는 자연의 법칙에서 배워야 한다. 사회의 규범 내에서 즐거움과 행복을 더욱 발전시키고 향유하다가 때가 되면 그 누군가에게 자연스럽게 넘겨줄 줄을 알아야 하지 않을까 한다.

   그렇게 하면서 우리 대한민국을 지구촌의 1등 국가! 진정한 선도국!으로 만들어가야 모든 사람들이 바라는 진정한 ' 행복마을 '을 만들 수 있을 것이다.

5부 바깥 세상을 보며

세상의 이웃들을 두루 살피면서 간단하게

1. 행복마을

2. 시련을 기회로

3. 한가위

4. 따스한 햇살

5. 프엉화

6. 녹음도 좋아

7. 감이면 좋아

8. 눈보라

9. 친구는 누구인가

10. 고마운 9월

11. 봄

12. 가르침

13. 바람은 예술가

14. 평화

15. 처음

1. 행복마을

하늘엔
움직이는 구름이
즐거움을

땅에는
형형색색 꽃들의
아름다움이

오늘도
마주하는 이웃들은
상생의 화~안한 미소가

2. 시련을 기회로

평화로운 세상에
예고없이 찾아 온 코로나19
마치 자기집 같이
인간들을 띠어놓고 활동을 못하게 하며
꼭 자신이 지배자 같이 움직인다

엎친데 덮친다고
이제 장맛비도 여기저기를
무너뜨리고 침몰시키며 물바다를 만들어
인간들을 거느리려고 한다

무엇이 잘못된 것일까

평화로운 세상에
가끔씩 그러다가 이제는 빈도가 잦아지면서
인간들에게 시련을 안겨주는 것일까

지금까지 우리 인간들은
만물의 영장이라고 자만하며
자기 하고 싶은대로 해 왔다

자기 편하게 마음대로 하고
여기저기
아무데나 버리고 즐기며 살았다

그러나
오늘과 같이 지구촌이 썩어가고
대책없이 처참하게 무너지며 파괴되고
죽어갈 줄은 미처 몰랐다

또
이들이 인간에게 점점 더 심하게
되갚을 줄도 미처 몰랐다
지구촌의 온도는 올라가면서

봄과 가을은 짧아지고
여름과 겨울은 길어지며
눈비와 태풍이 폭설, 폭우, 폭풍으로 심해지고
겨울의 동장군은 힘이 약해지며
사계절의 뚜렷함도 희미해지고 있다

이제라도
늦었지만, 더 늦기전에
주변도 생각하면서 싫어하는 것은 줄이고
만물이 상생정신으로
뭉쳐야 산다는 것을 알아야 한다

이 시련을 게기로
깔끔하게 처리하고 서로를 위하며
인간과 인간, 인간과 자연, 주변 환경

그리고
지구촌에 존재하는 만물이
상생하는 방법을 찾아야 한다

더 나아가서
모두가 힘을 모아
상생의 행복을 찾아야 한다

그날을 위해 기도합시다

3. 한가위

세월은 참 빠르다

코로나19와 싸우면서
장마 수해 그리고 태풍으로
어렵고 힘들게 버텨온 세월

조상님 잘 모시려고 벌초하고
봉분과 재각 주변 정비하다 보니
어느덧 민족의 명절 추석이 눈앞이네

이번에는 여건들이 좋지 않아
가족과 일가친척이 많이 모일 수 없어
간소하고 조촐한 분위기 되겠네

오곡백과 풍성한 더 나은 내년을 위해
마음만은 풍성하고 화기애애한
한가위 만들어가자

4. 따스한 햇살

파아란 하늘이
햇살도 따스하게 다가오네
어느 계절인들 싫을까마는
가을이 유독 좋아

높고 파랗고
오곡백과의 황금들녘이 있어
가슴을 확 트이게 하며
눈도 시원하네

색동 옷으로 차려입은 산하는
만물을 자식같이 포근히 안아 주고
풍부한 먹거리와 놀 거리를 만들어
세상을 활기차게 해 주네

사계 중 으뜸인 풍요로운 가을
자연이 있어 고맙고
가을이 있어 더욱 즐겁네

5. 프엉화

어느덧 해 묶은 가지에서 꽃이 피니
새 가지들도 앞다투어 꽃잎을 보내네

지난해 가지들을 전정해 주었더니
여러 개의 새로운 가지들을 뻗어내네
이발해 줘 고맙다고 인사까지
밝고 맑은 새 생명들이네
이발해 줘 나왔다고 인사도 하네

베란다 문을 열어 햇볕을 쪼여주고
물 주며 잘 자라라고 여기저기 만져주니
바람 불면 살랑살랑 물 줘도 끄덕끄덕
고맙다고 흔들흔들

너와 대화를 나누면서
베란다를 열어 햇볕에 따스하게 지내라고
물 주며 목마르지 않게 지내라고

프엉화 네가 있어 늘 즐겁지

넌 부겐베리아이기도 하지
그러나
너와 난 후아힌에서 처음 만났기에
언제나 프엉화란다

내가 더욱 편하게 해 주마
나와 넌 상생 친구
오래오래 즐겁게 보내자

6. 녹음도 좋아

연녹의 계절이 지나고
녹음이 짙어간다
더위는 싫지만
연녹과 녹음은 좋다

연녹은 눈을 시원하게
녹음은 그늘과 함께
시원함도 준다

그러나

진정코 좋아하는 색은
백설의 난무와 하얀색
하늘색 연갈색 연노랑
파란색이다

그렇지만
녹음이 있어 여름도 좋아

7. 감이면 좋아

감이면 좋아
흠집에 무관하게
흠집이 없으면
가지체 벽에 걸어두고
구경하면서 홍시로 만들지

흠집이 있으면
깎아 말리고
쪼개서 말랭이도 만들지

감의 종류 크기 흠집에 연연하지 않고
생긴 대로 용처에 맞게 쓰면 되네
못생겨 맘에 들지 않아도
내가 좋아하는감이면 되지

홍시, 말랭이, 곶감만 되면 다 좋아

8. 눈보라

눈이 내리더니
바람도 분다

눈보라의 위력이
한층 기승을 부린다

이 구석 저 구석을 도는
소용돌이가 낙엽들을
몰고 다니는 모양이 마치
이 세상의 온갖 더러운
오물들을 몽땅 쓸어버릴 기세다

그래
아무리 바람이 거세고 추워도
이 세상이 깨끗해진다면
그게 대수랴

눈보라야
더 세차게 소용돌이를 만들어
이 세상의 온갖 지저분하고 더러운
오물들을 말끔히 치워라

모든 이들이 선량하고 깨끗한 살기 좋은
'행복한 동네'로 만들어다오

9. 친구는 누구인가

깨복쟁이로 함께 자라던
                    죽마고우
교실에서 같이 공부하던
                    동학지우
사회생활을 시작하며 만난
                    사초지우
일터에서 열심히 함께 일하던
                    동근지우

그대의 이름은 친구
만나면 반갑고 헤어지면
또 보고 싶은 사람

즐거움도 슬픔도
함께 나눌 수 있는 사람
괴로운 일도 허심탄회하게
터 놓을 수 있는 사람

가족과도 상의하기 어려운 고민을
머리 맞대고 얘기할 수 있는 사람
가진 것은 없어도 형제처럼
나누고 싶고 주고 싶은 사람
자나 깨나 생각나고
보고 싶은 사람

그대의 이름은 친구
헤어지면 다시 보고 싶은
그대의 이름은 친구
언제 어디서 들어도 아름다운
그대의 이름은 친구
언제나 같이 하고 싶은
그대의 이름은 친구

친구야
우리 항상 건강, 행복하자

10. 고마운 9월

변함없는
자연의 약속

가뭄, 폭염, 집중 호우를
물리고
찾아온 반가운 너
파아란 하늘과 서늘함

온 들판은
황금색으로
오곡은 주렁주렁
풍요로움이

고맙다
9월아

11. 봄

봄 봄 봄
살랑살랑 봄바람 타고
봄이 왔어요
그리도 기다리던
봄이 왔어요

만물을 웅크리게 한
유난히 춥던 겨울 지나고
살얼음 녹듯이 날이 풀리며
몸과 마음도 부드러워지네요

이제 온갖 생명체들이
아름다움을 자랑하며
맘껏 즐거움을 노래하겠지

쑤~욱 쑤~욱 자라
보다 성숙해지면서
한결 나은 내일을 준비하겠지

12. 가르침

이래도
만물의 영장인가요

자기 생각대로
지구촌의
만물과 상생부터
할 수 있어야지

코로나19의
가르침이
상생의 행복이겠죠

13. 바람은 예술가

바람은 단풍잎을
어루만지며 함께 재미있게 논다

그러다가
휘날리며 떨어지게 해 수북이 쌓아
폭신하고 아름다운 쉼터를 만들고
마지막 길에 손잡고 강강술래하며
뭔가
지나갈 때는 더욱 빠르게
회오리를 만들며 뒤쫓는다

이 풍경은
바람만이 남기는 걸작이다.
바람은 찰나 예술가다

14. 평화

평화로운 세상
누리촌이 바라는 것

누가, 왜
이렇게
시끄럽게 만드나

누리촌을 다스리겠다는
욕심 많은 자들의
소행인가

총 칼 없는 평화가 좋은데

마음 비워
상생 이웃이 되고
상생 누리촌을 만들자

15. 처음

처음은 설레며
신기하고
어색하면서
궁금하고 두렵지

처음은 무섭기까지도 하지
그러나
처음이 있어야 다음도 있고
처음이 좋으면 다음도 좋겠지

그래서
처음을 잘 만들어야 하고
많이 만들며
좋지 않은 처음도
좋게 만들어야 하겠지

그래야

계속해서 함께 할 수 있고
늘 상생의 만남을 할 수 있으니까

상생의 소통과 동행하며
' 행복한 사회 '를 만들 수 있겠지

제 6부 즐거운 나들이

세상을 구경하면서 심신을 보살피자

1. 아름다운 이 순간
2. 장미원
3. 고마운 친구 수국
4. 법성 토주
5. 설레던 그 길
6. 첫날
7. 초하의 나들이

1. 아름다운 이 순간

요즘은 나들이가 많이 설랜다.

겨울의 차가움과 코로나19에 막혀 멀리 나가지를 못해 아름답고 다양한 자연을 접하지 못해서 일 것이다. 일을 보러 가기 위해 걷거나 차를 가지고 갈 때, 친구들과 나들이를 갈 때 또는 버스를 타고 가면서 창밖을 보고 여러 가지를 생각하며 혼자서 빙그레 미소를 띤다.

겨우내 웅크리고 지냈는데 요즈음은 주변과 가는 곳마다 나무와 화초들이 파릇파릇 새싹이 돋아나고 꽃이 화려하게 피는 모습들이 흐뭇하다. 길손인 나를 반겨주는 것 같기 때문 일 것이다. 앙상했던 나뭇가지와 화초들이 봄을 맞아 연두색의 파릇파릇 함으로 생명력을 보여주면서 새롭게 단장을 한다. 보기에도 윤기가 있어 보이며 생기발랄하고 꽃까지 피어주니 아름답기 그지없다.

윤기가 자르르 흐르면서 연두색으로 쑥쑥 자라는 녀석들이 눈을 시원하게 해 준다. 또 몸과 마음의 긴

장을 풀어주고, 편하게 해 주니 즐거움의 미소를 띨 수밖에 없지 않은가. 가로수들과 길거리 화단에 자라고 있는 울타리 수들과 꽃나무들이 예쁘고 아름답고 경우에 따라서는 귀엽게도 느껴져서다. 이렇게 아름다움을 선물해 주면서 기쁘게 해 주는 길거리의 친구들에게 이름표를 붙여주면 더 좋겠다는 생각을 해 본다.

이들에게 이름표를 붙여주면 길거리가 식물원이 되고 교육장이 될 것이다. 학교에서 배운 것들에 대한 실습과 체험장이 될 수도 있지 않겠는가. 꼭 책상 앞에 앉아서, 학교에서 배우는 것만이 공부고 배움이 되겠는가. 그렇게 하면 길거리를 다니면서도 자연스럽게 보며 익혀 상식도 넓혀가고 식물에 대한 공부가 될 것이기에 일석이조(一石二鳥)가 될 것으로 생각한다.

가끔 교외로 나가다 보면 검푸른 주변의 산에 하얀 점같이 산벚들이 보였는데, 이제는 다 떨어져 주변과 함께 푸르름을 만드는데 동참하고 있다. 옛날에는 산림녹화였지만, 지금은 도시 녹화를 하자고 주장하는 글을 자치단체 등에 올렸다. 그러나 요즈음과 같이 도시가 콘크리트로 쌓이는 것은 정말 아니라고 본다. 바람의 원활한 흐름이 막혀 점점 열섬화돼 가며 주변이

삭막해지고 있는 것은 무엇 때문일까 여러 가지로 생각해 봐야 할 것이다.

나는 신체적으로 땀이 많아 물을 많이 마셔서 그런지 더운 여름보다는 겨울을 더 좋아하는 편이다. 더운 여름에는 에어컨을 켜고 옷을 가볍게 입고 그늘을 찾아다녀야 한다. 그러나 겨울엔 난방을 하고 옷을 두툼하게 입어 몸을 따뜻하게 체온을 유지해 주면 된다. 그리고 외출을 자제하면 되기 때문에 더 쉬워서 일 것이다.

그래서일까? 겨우내 얼었던 몸과 마음을 녹여주는 지금이 제일 좋다.

2. 초하의 장미원

입하가 지나면서 날이 많이 덥다.

매년 나들이 삼아 명옥헌의 백일홍과 가끔씩 조선
대학교의 장미원을 구경 간다. 오늘은 마침 시내에 볼
일이 있어 아내와 함께 밖에 일을 보고 이왕 나왔으
니, 점심을 먹고 장미원을 둘러 보고 들어가기로 했
다.

농성동 지하도 옆의 광주옥에서 냉면과 생고기 비
빔밥으로 정했다. 나는 찬 것, 매운 것, 콜라 등등에
주의령이 내려진 게 상당히 많다. 휴일이라 통행량이
많지 않아 금방 도착했다. 주차하고 들어가니 제법 손
님들이 있었으나, 다행히 우리 자리는 괜찮은 곳이 있
어 쉽게 앉을 수 있었다. 주문을 하고 내부를 둘러보
면서 이야기를 나누다 보니 상이 차려지고, 한참 후에
식사가 나와서 한 숟갈 정도씩 나누어 맛보면서 맛있
게 먹고 출발했다.

전에는 백운동 로터리가 고가도로로 막혀 복잡하게
만 느껴지고 답답했으나, 철거가 되니 유난히 넓고 훤

해서 가슴이 확 트이고 눈이 시원하다. 조금을 더 달려 목적지에 도착했다. 차도 사람도 그렇게 많지 않아서 주차도 쉽게 했다. 그런데 왠지 장미원에 구경 온 사람들이 예전 같지 않았다. 점심때여서 그러나..... 주차하고 장미원으로 내려가니 코로나19로 인해 화단 내의 긴 동선 길이 차단되어 있다. 즉 인도에서 계단을 내려가 한 20m 정도만 들어갔다가 나오는 것이다.

　장미하면 소싯적에는 색상 등이 단순했는데, 언제부터인가 색상, 모양 등 너무 다양하다. 장미원의 종은 아니지만 핑크 파스 양, 코랄던, 오클라호마, 오렌지스팟, 레오나르도 다빈치, 사하라, 핑크 퍼퓸, 미스터링컨, 프린세스모나코 등등… 몇 년 전 서울 식물원에 들렀을 때 나라꽃 무궁화가 그렇게 종류가 많은지 처음 알았을 때가 문득 생각난다. 무궁화 묘목장이 유난히 눈에 띄어 그 묘목장에 가보니 배달, 자명, 스페시오스, 아덴스 등등등..... 그 종류를 다 담아오지 못해 서운했었다. 그런데 이곳의 장미도 종류가 무척이나 많다. 방문객들이 조금은 서운한 표정들이 보인다.

　그래도 왔으니 여기저기 사진을 몇 장 찍고 커피숍이 있는 건물로 갔더니, 커피, 음료수 등을 두고 담소를 나누는 사람들도 보였다. 또 2층 베란다에는 두 사람이 앉아 책을 보는지 그림을 그리는지 먼 곳을 보고 뭔가를 쓰는 것 같은 모습도 보였다. 사람이 많지 않아 차분하게 구경할 수 있는 것은 좋았다.

그러나 장미원 내를 여기저기 다니며 가깝고 멀게 구경할 수가 없어 서운함을 간직한 채 귀가했다.

3. 고마운 친구 수국

　건강산책을 위해 이웃 단지를 통과하면서 수국이 만개해 있어 아름다움을 계속 느끼고 있다. 우리 단지에도 몇 주는 있지만 그곳은 온통 수국 꽃밭으로 관할 구청으로부터 아름다운 단지 지정도 받은 곳이다. 우리 단지도 관심을 갖고 가꾸고 있는 분들이 있어 머지않아 수국 등 꽃의 천국이 될 것이다.

　전에는 느끼지 못했던 매력에 흠뻑 젖어 우리와 이웃 단지의 수국을 담아 인사장 등으로 사용하는 재미에 푸~욱 빠져있다. 수국을 좋아하는 줄 알고, 친구가 지인이 장성 백양사 I.C로 나가면 건너편에서 커피숍을 준비 중인데, 수국을 많이 가꾸고 있다고 해 구경 가기로 했다. 오늘 시간을 내 장성에서 점심을 하고 20분여 달려 도착했다. 마침 작업 중이던 주인이 반갑게 맞아준다.

　이곳은 도시민들의 나들이 겸 만남을 위한 장소로 입지적으로 좋은 2만 평을 3차에 걸쳐 마련해 작업 중이란다. 커피 등 영업 방향, 기분 전환 등을 위한 산책코스, 심어 가꾸고 있는 화초와 나무들, 정원 속의 쉼터 등에 대한 조성 계획을 설명해 준다. 건물은 세워져 있고, 지금은 기반 조성 단계로 시간이 좀 걸려야 영업을 개시할 수 있을 것 같다. 산의 경사가 급하지 않고 완만해 완공되면 많은 사람들로부터 사랑받는 장소가 될 것 같다.

기존에 있던 커다란 소나무, 심고 있는 수국, 목수국, 산수국, 철쭉, 동백 등이 산책로를 따라 권역별로 심어 가꿔지고 있다. 이곳에서 수국이 여러 종류가 있다는 것을 처음 알게 된 것이다. 숙소에서 시원한 음료수를 마시면서 여러 가지 이야기를 했다. 자주 보자고 인사를 나누고 돌아왔다.

수국은 장미와 함께 여름의 대표적인 꽃이란다. 색감이 독특하고 풍성해 세계적으로 인기가 있는 꽃. 중국이 원산지로 한국, 일본에 분포되어 있고 중국명 수구화(繡毬花), 한국명 수국(水菊)이다. 수국은 흙의 산도에 따라 색갈이 변해서 흙의 리트머스지다. 따라서 흙이 산성이면 파란색, 염기성이면 분홍색. 비료에 질소 성분이 적으면 붉은색, 질소가 많고 칼륨이 적으면 파란색. 이러한 특성 때문에 흙과 비료를 조절하여 원하는 색의 수국을 만들며 즐길 수 있단다.

집에 도착해 검색하여 제일 맘에 드는 곳인 ' 식물 디자인 공방 '을 참조하여 수국에 대한 자료를 요약해 위와 같이 남긴다. 좋아하는 ' 고마운 친구 수국! '에 대해 공부를 많이 한 나들이였다. 커피숍이 눈을 시원하게 마음을 포근하게 안아주는 공간으로 빨리 다가오기를 기대해 본다.

3. 법성 토주

　광주에서 가까운 곳이라서 식사 후 백수해안 도로에서 바람도 쏘일 겸 법성포엘 가끔 간다. 들리면 온통 굴비에 대한 간판과 홍보물로 가득해서 역시 굴비의 본고장이라는 것을 느낄 수 있다.

　사회 초년 시절에 친구인 옥이가 법성 상고에 첫 발령을 받아 갔을 때 대학 친구 3명이 초대되어 갔다. 술을 좋아하는 친구들이라 갯벌 위의 목조로 된 지금은 개발로 없어진 가게에 들어가 법성 토주를 마셨다. 우리는 잘 모르는데, 옥이가 술을 식탁에 조금 부어 놓고 라이터를 켜 가까이 대니 불이 붙어 촛불같이 탄다. 참 희한했다.

　또 내가 경험한 토주의 일화다. 젊은 시절에 영광 출신 친구가 신혼여행을 다녀와 친구들을 초대했다. 난 회사 업무로 조금 늦게 갔더니, 한 친구가 후래 3 배란다. ' 그래? 그럴 바엔 육개장 그릇으로 줘! ' 정말 바닥에 깔아 반이 되지 않게 준다. 당시엔 술이 좀 센 편이라 받아 단숨에 훌쩍 마셨다. 그렇게 놀다가 같은 아파트에 사는 친구들이랑 왔다.

그런데 출근을 하려고 계열사 상무님 차를 타니, '어제 뭔 일 있었나? 출근을 않게...' 하신다 순간 깜짝 놀랐으나 '아~ 예 몸이 좀 좋지 않아서요' 하고 얼버무려 넘겼다. 결재받으러 갔더니 우리 상무님도 자네 어제 왜 출근을 안 했냐고 물으신다. 몸이 좀 좋지 않았다고 말씀드렸다. 그랬더니 알았어 나랑 병원에 다녀오세 하면서 차에 태워 시내 병원에 데리고 가는 바람에 꼼짝없이 영양제 주사를 맞은 경우도 있었다. 나도 모르게 하루를 건너 뛴 것이다.

며칠 전에 식사를 다녀와 그런저런 토종에 대한 생각이 나서 검색을 해 보았다. 명칭이 토주, 토종 주로 되어 있는데, 나는 법성 토종으로 기억하고 있다. 술은 쌀과 밀가루로도 빚는데, 60도, 50도, ... 30도 등 용도별로 도수를 다르게 빚는단다. 그래서 옛날에는 한양으로 식량 등을 운반하거나, 바다 건너 중국으로 가는 배들이 들러 싣고 떠나면서 보관성이 좋은 도수가 높은 토주를 가지고 갔단다. 또 바닷물에는 미네랄이 많아 바람으로 인해 술을 마셔도 잘 취하지 않으며, 취하더라도 깨면 개운하단다.

요즈음은 전통주를 빚는 업자가 점점 줄어서 3개

업소 정도가 생산을 하고 있어 토주의 맥이 언제까지
이어질지 걱정이란다. 관공서 차원의 대책이 필요할
것으로 보인다. 모든 면에서 전통의 맥을 잇고 발전시
키는 것이 중요한데, 전통문화의 계승 발전을 위해 다
각도로 노력해 법성의 토주가 보다 활성화되었으면
좋겠다

4. 설레던 그 길

위험하니 절대 따라 하지마세요

서울에서 근무하다 광주로 내려와 몇 개월 후 소장으로 발령받아 근무하던 시절이다. 가는 길은 항상 설레고 즐겁다. 가족은 아내가 교사 근무로 양평에 있었다. 주말에도 상황에 따라 근무를 마치고 오후 1시,

또는 6시 전후에 출발한다. 약 3시간 반에서 4시간 반 소요되는 거리다. 또 관내의 관계 기관 등에 일이 있을 때에는 올라가지 못하고 일을 봐야 한다.

그래서 한 달에 한두 번 가게 되니 멀지만 마냥 즐겁기만 하다. 집에 가는 것이 신나고 즐거우니 자칫 과속을 하기도 한다. 2시경에 출발해 가다가 하루는 단속에 여러 번 걸려 포기하고 천천히 가기도 했다. 이때는 우리 팀이 한참 성적이 좋아 인기가 있을 때라서 차에 있는 싸인 공이 해결사다. 경기에 늦을까 봐 조금 밟은 모양이다고 미안해하면 천천히 가시라고 경례까지 해 준다.

또 한 번은 큰 아들 유치원 졸업식날이라 열심히 달리고 있는데, 경부와 중부 갈림길에서 사이 진입 금지 지역으로 갑자기 차가 들어와 깜짝 놀랐다. 그래서 쫓아가면서 계속 깜박거리며 차선을 바꾸면 나도 바꾸면서 따라갔다. 한참 쫓아가는데 앞차가 급 브레이크를 밟아 세운다. 같이 급브레이크를 밟아 세우고 고개를 핸들에 대면서 휴~한숨을 쉬는데 앞차의 운전자가 차에서 내려온다. 창문을 내리고 당신 잘 한 것 없으니 가라고 창문을 닫는 순간 뒤에서 사람들의 소리가 들렸다.

앞차 기사가 돌아가려는 순간 그를 부르는 소리였
다. 뭐지 하면서 내려서 가 보니 내 뒤따르던 차는 영
업용인데 약 30cm 떨어저 멈춰 있고 그 뒤로 승용
차, RV 그리고 RV를 받은 차는 앞덮개<본 닛>이 반
으로 접혀 올라와 김이 모락모락 올라오고 있다. 4대
가 동시에 충돌사고가 난 것이다. 그러나 나는 그곳에
있을 이유가 없어 출발했다. 오면서 뒤를 보니 손짓을
하는 게 보인다. 아마 서라고 한 것 같다. 내가 그곳
에 있을 필요가 없으니 당신들끼리 처리하라는 생각
으로 왔다. 사고의 근본 원인은 맨 앞차의 급정거였지
만, 뒤따르던 차들이 차간 거리를 유지하지 않은 것이
문제로 보인다. 그 후 아무 소식이 없이 끝났다. 역시
조심밖에 없다.

한 번은 명절에 가족이 광주에 왔다가 올라가는 길
에 증평 옆을 지나면서 저기 옆에 보이는 증평이 우
리 선조 때 고향이고 동생네가 살고 중앙 제재소가
작은 문중 사람이 운영하며 시재를 지내러 괴산으로
다닌다는 설명을 하다가 속도를 위반해 단속 대상이
되었다. 사연을 이야기했더니, 조심해가시라고 그냥

보내준 적도 있었다. 이때도 사인 공이 선물이었다.

그렇지만, 늦은 시간에 갈 때는 조심해서 가니 특별한 문제는 없다. 낮에는 고속도로를 벗어나면 주변의 산천 경계를 구경하면서 가니 재미있다. 이는 야간에 달리면서 볼 수 없는 재미 들이다. 또 봄, 여름, 가을, 겨울에 따라 달라진 차창 밖의 세상은 참 아름답다. 이렇게 즐기면서 다니고 있는데 시골 산길을 혼자 가는 길손들을 만날 때도 있었다. 처음엔 나 갈 길이 바쁘다고 생각해 그냥 지나쳤으나 생각해 보니 그게 아니었다. 그래서 주로 양평을 가는 길에 이천을 벗어나는 산길에서 길손을 몇 번 태워드렸다.

그런데, 어느 날 뉴스를 들으니 어떤 사람이 실종되었는데, 알아보니 누군가의 타를 타고 간 뒤였단다. 순간 좋은 일을 한다고 했는데, 이런 일이 내게 일어나지 말라는 법이 없을 것이다 생각하고 뚝 끊었다. 산길을 밤에 그것도 눈. 비가 오는데, 그냥 지나갈 때면 정말 마음이 아팠다. 그러나 어쩔 수 없지 않은가 못 본 척 넘기는 수밖에…

양평에서 출근은 회사에 허락을 받고 늦게 출근한

다. 집에서 아침 7시 전에 출발을 한다. 주말에 집에 와 가족들과 지내다 가니 한결 가볍고 즐거운 마음으로 달린다. 길에 어쩌다 학생들이 걸어갈 때는 태워다 주곤 했다. 그러나 이마저도 뉴스를 들은 뒤로는 하지 않았다. 꼬불꼬불 산길과 이천시를 지나 고속도로에 오르면 다니는 차도 별로 없고 너무 좋다. 지금 같으면 그렇게 하지 않았겠지만 직선 도로라서 그때는 가끔씩 지팡이로 페달을 누르고 달렸다. 그러면서 ' 광주 가자 ' 하면 ' 예~ ' 하고 광주까지 가는 차는 없을까? 했는데, 필요를 느끼면 얻는다고... 이제 그런 차가 나와 있지 않은가.

세월이 많이 흘렀지만 하나 둘 뇌리를 스치는 즐겁고 행복했던 그 시절의 먼 거리 출퇴근 일화들이다.

5. 첫날

'마음의 문을 열면 시야가 넓어지며
시야가 넓어지면 생각이 다양해지고
생각이 다양해지면 삶이 풍부해진다네요'
' 상생 누리촌 深言錄에서 '

내일부터는 영광으로 출근하기에 마지막 근무를 마치고 막내가 퇴근했다. 손에는 꽃다발, 케이크 상자 등을 들고... 그간 수고했다고 약국장의 전별금을 포함해 직원들이 마련해 준 것이란다. 점심때 막내도 그간 고마웠다고 먼저 인사 자리를 마련했었단다. 헤어지면서 이런 경우는 처음이라고 했단다. 참 고마웠다.

약 2년여간 광주에서 함께 근무했던 연배다. 영광에 연줄이 있어 좋은 장소를 만나 개업한 것이다. 처음엔 새 건물에 병원들이 많지가 않았는데, 이제는 환자가 늘어 약국장이 직원 2명 데리고 혼자 하기가 힘들단다. 광주에서 영광까지 출. 퇴근을 하는데, 3번째 찾아와 긴 얘기 끝에 가기로 했단다. 약국장이 ' 三顧草廬 '에 응해줘서 고맙다고 함께 열심히 해보자고 했단다.

영광의 법성포와 백수해안 도로는 가끔 가 봤어도 읍내는 맛집 등에... 숙소를 알아보러, 계약을 위해 들렀고. 지난 일요일에는 일부 생활용품을 갖다 놓기 위해 갔다. 아들은 약국장과 얘기를 하고 같이 오겠다고 한다. 우리는 먼저 올라오면서 옛날에 부모님들이 '막내딸 시집보내느니 내가 가겠다. 어떻게 살른지 걱정이다.' 고하셨다는 말같이 내가 그 심정이다고 하면서 올라왔다.

이제는 내일 출근을 위해 저녁 후 준비한 생활용품들을 싣고 영광 숙소로 갔다. 출발해서 약 40분. 용품들을 용도별로 위치에 정리하고 앉아 케이크와 음료를 하며 얘기를 나눴다. 약국의 위치, 약국장의 직원 대하는 법, 운영 기법 등에 대해 그 특색들이 있을 것이니 잘 배우라는 등의 이야기다. 옛날 같으면 이미 가장이 되었을 나인데... 그래도 70인 부모가 50 된 아들을 아기로만 보고 길 가다 자전거 조심하라고 이야기하셨다는 말이 생각난다.

'삶이 풍부해지는 것은

창조적인 상생의 삶이 되는 것이랍니다'
' 상생 누리촌 深言錄에서 '

자신의 미래를 위해 스스로 하나 둘 준비 중에 있다. 아파트, 차량은 계약을 했다. 앞으로 약국의 개업, 함께 할 반려자와 자녀들만 있으면 될 것이다. 그래 열심히 배우면서 꾸준한 자기계발을 통해 풍부한 삶, 창조적인 상생의 삶을 사는 주인공이 되기를 기원한다.

영광에서 첫 아침. 막내는 출근한 숙소에서.

6. 초하의 나들이

오늘은 친구 같은 후배네 와 함께 오랜만에 나들이를 가는 날이다. 아침 일찍 서둘러 함께 목적지를 향했다.

후배와는 가끔 만나고 SNS로 소통하지만, 코로나로 연기하다가 만나니 아내들끼리는 할 말이 많았나 도란도란 계속 속삭인다. 후배와 난 가는 곳에 대한 정보를 나누며 소곤소곤 가고 있다. 목적지는 고창의 해변가에 있는 ' 작은 항구 '라는 식객 허영만이 들러 후기로 소개한 곳이다.

좌우가 산, 산과 바다가 있는 푸르름과 활력이 넘치는, 보기에도 시원하고 조용한 시골길을 달려서, 식사에는 조금 이른 시간에 도착했다. 그래서, 근처의 볼만한 곳인 ' 고창 세계 프리미엄 갯벌생태지구 '안의 ' 갯벌탐방로 '를 들렀다. 이곳은 갯벌이 있고 바닷가라서, 장어 등을 직접 기르는 양만장養鰻場이 해안가로 쭈욱 있고, 생태체험장을 운영하는 시설들이 많이 보인다. 조개를 채취하러 들어가는 것 같은 차량도 보인다.

시간이 되어 작은 항구에 가서 손님들이 많았지만, 마침 창가 쪽에 자리가 있었다. 풍천 장어에 동죽 칼국수로 점심을 했다. 깔끔하게 잘 구워 주고 찬들도 맛있어 좋았다. 곡차를 곁들였으면 더 좋았을 것 같았다. 그러나..... 그리고 아쉬웠던 것은 환기가 잘되지 않고 냉방 때문에 창문을 열 수 없는 것이 문제였다. 그래도 식사는 맛있게 하고 커피를 가지고 쉼터로 나와 주변을 구경하면서 담소를 나누다가 청보리밭으로 출발했다.

청보리밭은 전부터 이야기를 많이 듣고 TV에서만 보다가 드디어 구경을 가게 되었다. 아무래도 시기적으로 늦어 황보리가 될 것으로 알고 갔지만, 역시..... 조금은 실망이었으나, 현장을 밟아 보았다는데 의미를 두기로 했다.

다음 행선지인 고창읍성은 성내와 성벽을 걸어보고, 한양에서 어명을 수행하기 위해서 내려오는 관리들의 객사에 들러, 마루에 앉아 주변 경관 등을 구경했다. 어디선가 고관을 수행하는 관리의 목소리가 들려오는 듯하다. 마지막으로 여러 번 들렀던 백수해안 도로를 왔는데. 지속적으로 탐방객을 유인하는 새로운 시설들이 들어서고 있는 것이 고무적이었다.

  광주에서의 일정 때문에 서둘러 돌아왔다. 아우님이 수고를 많이 해준 250km의 긴 여정인 즐거운 나들이였다. 청보리밭과 고창읍성을 들러 본 것이 의미가 크다.

에필로그

　지금까지 틈틈이 쓴 글들과 새롭게 써서 원고를 만들었다. 뭐가 그렇게 바쁜지 계속 쫓기면서 작업을 했지만 탈고를 할려면 열번 정도 검토해야 한다는데 너무 아쉽다.

　최선을 다해 원고를 넘겨 지도해 주신 대표님의 검토 결과가 나오면 좀 더 세밀히 검토해 교정을 하자. 조언을 받으면서 추진하지만 직접 주도해서 진행할려니 조금은 벅찬 것 같다. 그러나 발간이 되면 처음 직접 진행해 책을 쓴 보람은 있으리라 본다.

　이렇게 책을 쓰기 위해서는 많은 것을 보고 듣고 읽고 체험을 해야 할 것이다. 그것들이 독자에게 읽는데 즐거움이 되고 간접 경험으로 도움될 부분이 있다면 그것이 책을 쓰고 읽은 보람일 것이다.